août 1985

Louis —

Merci pour ton amitié ces derniers semaines. J'espère que nous nous reverrions un jour.

Diaw

des
et clefs
des
serrures

images et proses

Michel Tournier

de l'Académie Goncourt

des
et clefs
des
serrures

images et proses

Chêne/Hachette

Photographies de :

Dieter Appelt
Esaias Baitel
Claude Batho
Édouard Boubat
François-Xavier Bouchart
Denis Brihat
Lewis Caroll
(Gernsheim Collection, Humanities
Research Center, The University of Texas at Austin).
Henri Cartier-Bresson
Jean-Philippe Charbonnier
Lucien Clergue
Jean Dieuzaide
Robert Doisneau
Leonard Freed
Jean-Claude Gautrand
Robert Hamelin
Eikoh Hosoe
Karsh
Jacques-Henri Lartigue
René Maltête
Jean-Claude Mougin
Phelps
Leni Riefenstahl
Catherine Rotulo
Jeanloup Sieff
Hans Silvester
S. S. Sukhy
Arthur Tress
Holger Trülzch
Alex Webb

Des clefs et des serrures

Il doit en être ainsi dans toutes les vieilles maisons. Il y a dans la mienne divorce complet entre les clefs et les serrures. Des clefs, j'en possède un plein tiroir, clefs de cadenas à barbe finement ourlée, clefs fichet à tige creuse, clefs diamant à double panneton, clefs géantes massives comme des armes contondantes, clefs de secrétaire à l'anneau ouvragé comme dentelle, modestes passe-partout dont le seul défaut est justement de ne passer nulle part. Car le mystère est là : aucune des serrures de la maison n'obéit à ces clefs. J'ai voulu en avoir le cœur net. Je les ai toutes essayées. Leur vertu apéritive, comme disait Pascal, s'est révélée nulle. Alors d'où viennent-elles, que font-elles là, toutes ces belles clefs, ayant chacune plus ou moins la forme d'un point d'interrogation de métal ?

Est-il besoin de préciser que, réciproquement, aucune des serrures de la maison ne possède sa clef ? Ainsi à toutes mes clefs correspondent autant de serrures rendues les unes et les autres inutiles par leur inadéquation. On dirait qu'un malin génie a fait le tour du village, transportant toutes les clefs d'une maison dans une autre.

Or ceci est hautement symbolique, car le monde entier n'est qu'un amas de clefs et une collection de serrures. Serrures le visage humain, le livre, la femme, chaque pays étranger, chaque œuvre d'art, les constellations du ciel. Clefs les armes, l'argent, l'homme, les moyens de transport, chaque instrument de musique, chaque outil en général. La clef, il n'est que de savoir s'en servir. La serrure, il n'est que de savoir la servir... afin de pouvoir l'asservir.

La serrure évoque une idée de fermeture, la clef un geste d'ouverture. Chacune constitue un appel, une vocation, mais dans des sens tout opposés. Une serrure sans clef, c'est un secret à percer, une obscurité à élucider, une inscription à déchiffrer. Il y a des hommes-serrures dont le caractère est fait de patience, d'obstination, de sédentarité. Ce sont des adultes qui jurent : « Nous ne partirons pas d'ici avant d'avoir compris ! » Mais une clef sans serrure, c'est une invitation au voyage. Qui possède une clef sans serrure ne doit pas rester les deux pieds dans le même sabot. Il doit courir les continents et les mers, sa clef à la main, l'essayant sur tout ce qui a figure de serrure. A quoi cela sert-il ? demande à tout moment l'enfant, persuadé que chaque objet est une clef que justifie une serrure.

Les cambrioleurs appartiennent à l'une ou l'autre espèce. Que celui qui s'approche silencieusement avec à la main un trousseau de passe-partout ne vous fasse pas illusion, ce n'est pas un homme-clef, c'est un homme-serrure. Il est doux et méthodique. Regardez-le. Il s'agenouille avec respect devant la serrure qu'il a choisie et lui glisse un à un ses crochets, comme un grand vizir présente des prétendants à sa jeune

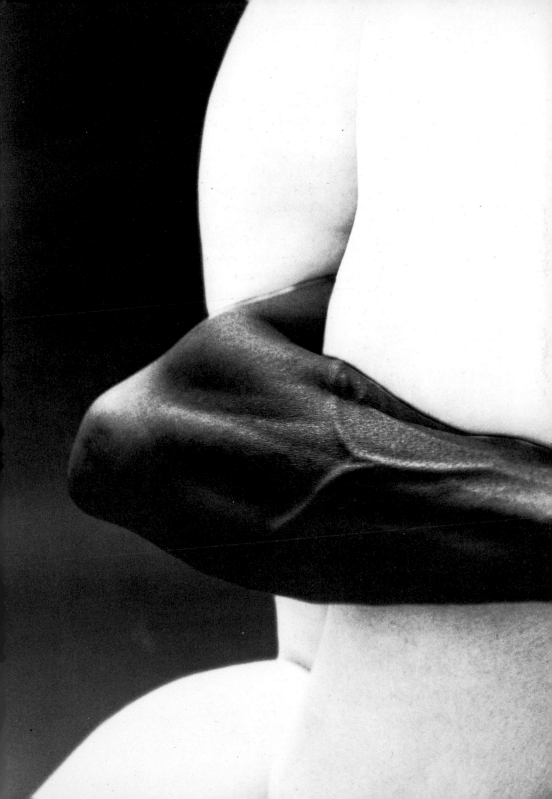

souveraine. Le cambrioleur-clef n'en a qu'une seule qui est pince-monseigneur ou lampe à souder. C'est au demeurant un « soudard », tout comme cette brute d'Alexandre se servant de son glaive pour trancher le nœud gordien, cette serrure de corde.

Ces ruses et ces violences sont la faute du malin génie qui brouille le peuple nomade des clefs avec la tribu sédentaire des serrures. Des cris déchirants et grotesques sont poussés d'un bord à l'autre. On les appelle des petites annonces matrimoniales. Le poète disait amèrement : « J'aime et je suis aimé. Ce serait le bonheur s'il s'agissait de la même personne ! »

Un malin génie, vous dis-je !

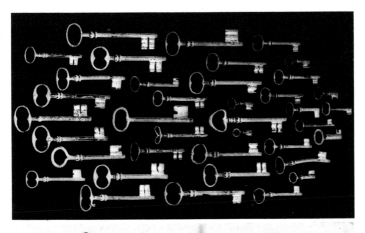

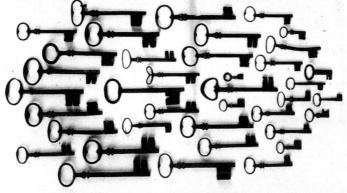

Jean Dieuzaide

Les deux sœurs

Il était une fois un pauvre artisan, veuf de surcroît, qui s'appelait Samuel. Mais il ne songeait pas à se plaindre, car ses deux filles le comblaient de satisfaction et de fierté. Or, si elles étaient aussi belles l'une que l'autre, on n'aurait pu imaginer deux caractères plus totalement différents.

Sarah, l'aînée, toujours active, prévoyante et courageuse, savait ce qu'elle voulait et comment l'obtenir. Lia, la cadette, que les familiers appelaient Lili, indolente et volontiers musarde, préférait s'en remettre au destin — qui est hasard ou Providence, allez donc savoir ! — pour régler les problèmes délicats de la vie. Si elles avaient dû inscrire leurs devises respectives sur le mur où s'appuyaient leurs petits lits de jeunes filles, l'une aurait écrit que le ciel n'aide que ceux qui s'aident, l'autre que tout vient à point à qui sait attendre.

Quand elle eut vingt ans, Sarah songea à se marier, sans attendre qu'un soupirant ou un père bien intentionné vînt la chercher. Elle avait si peu à mettre dans sa corbeille qu'elle n'aurait pas dû viser bien haut. Elle surprit tout le monde en jetant son dévolu sur Éphraïm, un brave garçon assez fortuné, mais dont l'ambition ne paraissait pas le souci principal. Sans doute estimait-elle qu'à ce caractère faible et docile une épouse énergique pourrait prêter le ressort et l'acharnement qui lui manquaient pour réussir.

Bravant les usages, Sarah fit les premiers pas. Éphraïm se laissa circonvenir, et le jour vint où il se présenta à Samuel. Mais le cœur a parfois des tours que la raison ne prévoit pas. A peine eut-il aperçu Lili — la douce, la souriante, l'effacée — qu'il comprit que c'était celle-là qu'il voulait. Elle lui ressemblait, et son tendre silence débordait de promesses de bonheur.

Sarah mesura le péril avant même que les deux jeunes gens pussent se déclarer. Elle se hâta de mettre son père dans son jeu, et Samuel, dûment chapitré, proclama qu'il n'accepterait jamais que sa cadette se mariât avant son aînée. Habitués à plier devant un sort contraire, Éphraïm et Lili s'inclinèrent, et, quelques semaines plus tard, fut célébré le mariage de Sarah et d'Éphraïm.

Les mois puis les années passèrent. Le jeune couple restait sans enfant. Éphraïm aurait volontiers pris son parti de cette situation. Mais Sarah se dévorait de chagrin. Enfin la famille d'Éphraïm manifesta sa colère. Le garçon avait épousé une fille pauvre. S'il fallait qu'en plus elle fût stérile, on parlerait de répudiation !

Il fallut bien en parler. Sarah paraissait à l'article de la mort. Mais un jour elle sembla recouvrer ses esprits, reconquérir à force de volonté un équilibre terriblement compromis. Le soir, elle prit la parole devant son père, son mari et sa jeune sœur. D'une voix ferme et posée, elle prononça des mots qu'aucune femme de mémoire humaine n'avait jamais prononcés. Elle commença par assumer l'entière responsabilité de la stérilité de son mariage. Si Éphraïm et elle n'avaient pas d'enfants, c'était à elle seule qu'il fallait l'imputer. Et elle ajoutait avec orgueil que Dieu l'avait sans doute comblée plus qu'une autre dans le domaine de l'esprit et de la volonté, mais que, ces dons, il les lui avait fait payer en lui refusant ce qui fait seul une véritable épouse : la maternité. On parlait de répudiation. C'était justice. Éphraïm ne pouvait demeurer sans descendance. Mais elle connaissait les coutumes et l'histoire des coutumes. Il existait au fond des livres une vieille loi un peu oubliée, certes, mais que jamais on n'avait explicitement abolie, celle du lévirat et du sororat. En vertu du lévirat, quand un homme meurt, son frère, s'il est célibataire, a le droit et le devoir d'épouser sa veuve. En vertu du sororat, quand une femme meurt, sa sœur, si elle est encore libre, a le droit et le devoir de la remplacer auprès du veuf et de ses enfants. Sarah n'était pas morte, certes, encore que son chagrin eût bien failli la tuer. Mais elle avait trouvé dans une illumination la voie du salut. Elle s'effacerait. Elle reprendrait sa place de fille aînée auprès de son vieux père. Éphraïm et Lili seraient libres de suivre enfin leur cœur.

Et, sans trembler, Sarah prit la main de sa petite sœur et la mit dans celle de son mari.

Il n'y eut pas de noces. La répudiation et la nouvelle union, consommées devant les autorités, la vie parut reprendre un cours inchangé dans la maison du vieux Samuel. Mais les enfants de Lili la

15

remplirent bientôt de leur joyeux tumulte. Plus encore que Lili, toujours douce, effacée et comme débordée par sa propre indolence, c'était la haute et grave figure de leur tante Sarah qu'ils respectaient. Et peut-être ne l'aimaient-ils pas moins que leur mère, bien que d'une autre façon.

Quant à Éphraïm, il se prenait parfois à regretter secrètement que le vieux Samuel n'ait eu que deux filles.

Henri Cartier-Bresson

L'arbre et le chemin

Si vous regardez bien un paysage — ses coteaux, ses bois, ses maisons, mais aussi ses rivières et ses routes —, vous verrez que son harmonie dépend d'un subtil équilibre entre ses masses sédentaires et ses voies de communication. Et cela en l'absence même de l'homme, car ce jeu entre ce qui bouge et ce qui demeure n'a nul besoin d'un coureur ou d'un dormeur pour se jouer. Les choses suffisent.

Donc, parmi ces choses, certaines sont neutres, pouvant être aussi bien parcourues que fixées par l'œil du spectateur. Telles sont la colline, la vallée, la plaine. Là, chacun peut mettre ce qu'il veut de dynamisme et de stabilité. D'autres sont par leur nature même enracinées, et ce sont l'arbre et la maison principalement. D'autres enfin sont animées d'un dynamisme plus ou moins impétueux, et ce sont chemins et rivières.

Or il s'en faut que cet équilibre soit toujours réalisé, ou que, l'ayant été, il demeure. Un phare planté au milieu des récifs battus par les flots, une forteresse juchée sur un roc inaccessible, une hutte de bûcheron enfouie dans les bois sans voie d'accès visible s'entourent fatalement d'une atmosphère inhumaine où l'on pressent la solitude, la peur, voire le crime. C'est qu'il y a là trop de fixité, une immobilité presque carcérale qui serre le cœur. Le conteur qui veut faire frémir d'angoisse sait tirer profit de ces paysages fermés que n'irrigue pas une sente ou une route.

Mais le déséquilibre inverse n'est pas moins grave, et c'est celui que fait naître sans cesse la vie moderne. Car il y a dans les villes deux fonctions, l'une primaire d'habitation, l'autre secondaire de circulation, et on voit aujourd'hui partout l'habitation méprisée, sacrifiée à la circulation, de telle sorte que nos villes, privées d'arbres, de fontaines, de marchés, de berges, pour être de plus en plus « circulables », deviennent de moins en moins habitables.

La matière même dont le chemin est fait joue son rôle tout autant que sa largeur. En remplaçant dans un village une chaussée empierrée ou un chemin de terre par une route goudronnée, on ne change pas qu'une couleur, on bouleverse la dynamique de la vision et la conscience de ce village. Parce que la pierre ou la terre sont des surfaces rugueuses et rêches, et surtout perméables, l'œil se trouve retenu, le regard arrêté et, grâce à cette perméabilité, mis en relation avec les profondeurs souterraines. Tandis que le ruban parfaitement lisse et imperméable de l'asphalte fait glisser l'œil, déraper le regard, et le projette vers le lointain, vers l'horizon. Les arbres et les maisons, sapés dans leurs assises par la route-anguille, paraissent vaciller comme au bord d'un toboggan. C'est pourquoi on ne fera jamais assez l'éloge du vieux gros pavé de granit. Il allie paradoxalement à une rondeur et à un poli indestructibles un individualisme absolu, créateur d'irrégularité et d'interstices herbus qui sont une joie pour l'œil et l'esprit... à défaut d'en être une pour les roues.

Car, il faut en convenir, l'un des petits drames de notre civilisation, c'est que la roue et le pied ont des exigences incompatibles. La roue veut la planitude et l'adhérence d'une piste caoutchoutée. Elle déteste enfoncer, cahoter et surtout déraper. Le pied s'en accommode, et même les glissades peuvent l'amuser. Mais ce qu'il aime surtout, c'est faire crisser un sol légèrement sablonneux ou graveleux, et y enfoncer un peu — pas trop — comme sur une moquette. Il ne veut pas rebondir durement sur une surface incompressible. Un peu de poussière au soleil, un peu de boue quand il pleut font partie de la qualité de la vie.

Jean-Philippe Charbonnier

L'athlète

La statue du coureur à pied, celle du discobole ne court ni ne lance le disque. Elles restent figées dans le bronze ou la pierre. Leur geste est paradoxalement frappé d'immobilité. Pourquoi ? Par excès de *spéciali-sation*. Un discobole qui ne serait que discobole — et c'est bien là ce que le sculpteur a voulu faire — ne peut lancer de disque. Car, pour lancer un disque, il faut *aussi* marcher, respirer, se nourrir, dormir, travailler, aimer, etc., en somme tout ce qui fait un discobole de chair et d'os quand il ne lance pas le disque, c'est-à-dire la plupart du temps.

Et cela est valable pour d'autres, notamment pour les écrivains. Si tu prétends être écrivain — et cela seulement —, tu n'écriras rien.

Toucher

Mon premier amour s'est meurtri aux barreaux d'une cage. J'avais six ans. J'aimais de passion souffrante la panthère noire du Jardin des Plantes. J'ai supplié en vain. Personne n'a voulu ligoter le splendide animal afin que je puisse le caresser et même me coucher entre ses pattes, le nez dans son poil d'ébène. Plus tard je me suis souvenu de cette déception en lisant *Le Livre de la jungle* de Rudyard Kipling. Mowgli se mussant tout nu dans la fourrure de Bagheera a fait gémir en moi une vieille nostalgie.

Ne touche pas! L'odieuse injonction qui retentit cent fois par jour aux oreilles de l'enfant fait de lui un aveugle, un chien sans flair, errant tristement dans un monde où tout est enfermé dans des vitrines. Les compensations qu'on lui offre sont rares et maigres. Le bébé peut encore pétrir à pleines mains le sein qu'il tète. Plus tard, perché sur le bras de papa, il ne se fait pas faute d'enfoncer ses petits doigts dans sa bouche. Mais ensuite, il ne lui reste que la pâte à modeler, le pâté de sable, dans les meilleurs moments au bord de la mer la vase liquide où le pied nu patauge et qui rejaillit en amusants tortillons entre ses orteils.

Notre société hygiénique et puritaine se montre de moins en moins favorable à la connaissance et aux satisfactions tactiles. Toucher avec ses yeux. L'absurde conseil qui brisait nos élans enfantins est devenu un impératif universel, tyrannique. Les lieux de contact érotiques sont interdits ou infestés de surveillance. En même temps se développe une inflation galopante d'images. Le magazine, le film, la télévision gavent l'œil et réduisent le reste de l'homme à néant. L'homme d'aujourd'hui se promène muselé et manchot dans un palais de mirages.

Parfois, tout de même, un pavé vole dans une vitrine et un jeune corps se rue sur les fruits défendus...

Le froid et ses vertus

Saint-Moritz, dominé par les sommets glaciaires du massif de la Bernina, est l'un des hauts lieux du ski alpin. A quelques kilomètres au sud-ouest, les deux lacs de Silvaplana et de Sils Maria appartiennent depuis quelques années aux pratiquants du ski de fond.

Cette spécialisation en ski alpin et ski de fond ou nordique serait outrancière si, dans nombre de stations, le bon vieux ski de randonnée, avec ses brodequins montagnards et ses peaux de phoque, ne conservait ses adeptes. Car le nouveau skieur alpin, traînant à chaque pied un attirail lourd et raide comme bronze, est bien incapable de marcher un peu longuement et surtout de grimper par ses propres moyens. Totalement tributaire du remonte-pente électrique, il ne fait que gérer, au mieux des accidents du terrain, l'énergie potentielle qu'il lui doit.

Qui veut connaître les vertus du froid dominé par un effort athlétique s'élance dès le matin sur l'aire poudrée de neige des grands lacs gelés. Chaussé à la légère, les pieds ailés de petits skis fins et sans carres, le skieur de fond vole sur la surface parfaitement

29

plane et blanche. Le vent qui s'engouffre dans la vallée lui taillade le visage, lui broie les mains, lui brûle les narines et la gorge. Sous la poussée de ses bâtons, sous ses pas légers, la glace retentit avec une sonorité glauque, et deux mètres plus bas son passage fait éclater des éventails de petits poissons. Il ne doit sa vitesse qu'à son effort musculaire que se partagent presque à égalité ses bras et ses jambes. C'est un sport total, d'une rigueur et d'une efficacité exaltantes.

Oui, les vertus du froid et de l'effort ! Nous sommes bien loin ici des plages lascives, du sable voluptueux, de la vague tiède et facile. L'été est la saison de la chair. Sur l'hiver souffle un vent rigoriste, et le discours qu'il me tient aux oreilles n'a rien de permissif. Le froid est une leçon de morale. Il châtie durement la nudité — et jusqu'à celle du bout de mon nez...

Pourtant la morale de Sils se respire sur les sommets. Elle n'a rien de commun avec la morale des cloportes qui règne sur les villes basses, noires et pluvieuses. Son haleine pure et glacée n'est pas la respiration fétide de la Bête Pudibonde dont le mufle blême veille à la porte des cinémas.

L'esprit de Sils possède son temple. C'est à Maria, la petite maison — écrasée aujourd'hui entre deux hôtels — où Frédéric Nietzsche séjourna régulièrement entre 1881 et 1888. C'est là — « à six mille pieds au-dessus des hommes » — qu'il rencontra pour la première fois ses deux doubles, Zarathoustra et Dionysos. C'est là que pendant sept ans, brisé par la maladie, courbé par la souffrance, à demi aveugle, les tempes martelées par des névralgies torturantes, il promulgua le nouvel évangile de la Grande Santé. A l'écoute de son ombre, le voyageur dépêchait inlassablement vers les hommes les préceptes du gai savoir. Écoutez-moi ! J'ai fait une découverte merveilleuse, gaie de surcroît ! Il n'y a de vérité que légère et chantante. La pesanteur est du diable. Il n'y a de dieu que dansant et riant sur la surface des grands lacs alpins...

Il tâtonnait sur ces rivages, ivre de lumière et de douleur, le cerveau brûlé par des évidences fulgurantes.

Mais, lorsqu'il pleurait, c'étaient des larmes de joie.

Le riz

Retour d'un voyage en Inde, on ne peut rien dire, tant cette terre et ces hommes sont loin de nous. On peut avoir fait le tour du monde : débarquant en Inde, on se sent pour la première fois en pays étranger. On peut avant de partir se farcir la tête de lectures et de conversations pour se préparer à la découverte : le choc de l'arrivée balaie tous ces « préjugés » et vous confère de force un regard vierge.

Le riz, par exemple. Qui n'a pas mangé et vu manger du riz en Inde ne sait pas ce que contiennent ces trois simples lettres (trois lettres, comme dans le mot *blé,* mais entre ces deux nourritures fondamentales, il y a la distance de deux groupes de civilisations). Le peuple indien est un peuple de prêtres. Tous ses actes sont rituels, toutes ses actions paraissent obéir à un modèle séculaire. Les gestes de l'Indien qui prépare son riz sous vos yeux vous racontent une légende, ceux qu'il accomplit en mangeant ont valeur de sermon. Son visage dévoré par la flamme de son regard nie ardemment tout le reste de son corps, et donc cette nourriture est d'essence spirituelle.

Et il y a la faim, et il y a les enfants. Ce que j'ai vu

en Inde de plus beau, exaltant, émouvant à pleurer, enthousiasmant à crier, ce n'était ni le Tadj Mahall d'Agra, ni les grottes d'Elephanta, ni les bûchers funéraires de Bénarès. C'était un vieux camion-citerne tout bringuebalant et tintinnabulant que l'étroitesse de la route nous empêchait de doubler. Il cahotait de village en hameau et s'arrêtait en des points apparemment prévus, car on l'y attendait. Des groupes d'enfants haillonneux se rassemblaient sagement derrière la citerne. Le chauffeur descendu actionnait un gros robinet qui lâchait une bouillie de riz dans le petit bol que tendait un enfant, lequel, aussitôt servi, s'asseyait sur ses talons et y plongeait son museau brun.

J'ai cru d'abord qu'il n'y avait rien de plus enviable au monde que le rôle de ce chauffeur-nourricier, et j'ai ardemment envié son sort. Mais, sous l'influence peut-être de cet air indien saturé de mystères et de monstres, j'ai rêvé d'une métamorphose plus exaltante encore : être le camion-citerne lui-même et, telle une énorme truie aux cent tétines généreuses, donner mon ventre en pâture aux petits Indiens affamés.

Ainsi l'Ogre, sous le coup d'une inversion bénigne, au lieu de manger les enfants, se fait manger par eux.

Arthur Tress

L'aquarium

A-t-on jamais examiné d'assez près cette étrange maladie de l'âme qui s'appelle l'ennui ? Il est bien remarquable qu'elle s'attaque avec prédilection aux êtres jeunes. C'est pourquoi le romantisme, qui se voulait éternelle adolescence, en fit son signe de ralliement.

Si mes souvenirs ne me trompent pas, je me suis mortellement ennuyé dans mes enfances, puis de moins en moins à mesure que je grandissais, et plus du tout à partir de dix-huit ans.

Il y a certes le bâillement, mais plus encore une certaine façon d'appuyer son front contre la vitre de la fenêtre et de s'abîmer dans la contemplation morose d'une rue déserte où divaguent des créatures fades et indésirables. Il y a une certaine matité des bruits provenant de l'épaisseur de l'immeuble, une lumière glauque d'aquarium tombant sur toutes choses d'un ciel uniformément voilé, et finalement une clameur silencieuse qui brame le désespoir d'exister. Il y a... cent autres façons de vivre son ennui, de s'ennuyer.

Je me souviens d'un fait divers. Des adolescents avaient, un dimanche après-midi, séquestré un vieillard. Après l'avoir longuement torturé, ils étaient en train de le pendre quand la police est intervenue de justesse. On les interrogea. Ils haussèrent les épaules. L'un d'eux expliqua : « On ne savait pas quoi faire. » Bernanos définissait l'ennui : « Un désespoir avorté, la fermentation d'un christianisme décomposé. »

Si l'enfant est la proie favorite de ce vide morne, de cette angoisse fade, de ce néant couleur de poussière, c'est sans doute par manque d'enracinement dans le cours des choses, par excès de disponibilité. Il est de son âge d'attendre la survenue de quelque chose ou de quelqu'un d'extraordinaire qui va tout renouveler, tout bouleverser, fût-ce une catastrophe planétaire. Un départ en voyage ou, mieux, un déménagement suffisent à le plonger dans l'ivresse. En 1938, 39, 40, j'avais treize, quatorze, quinze ans. Je me souviens de la ferveur avec laquelle je priais pour qu'une guerre éclatât et jetât cul par-dessus tête la société de cloportes où j'agonisais. Je fus exaucé au-delà de mes vœux...

Pourquoi l'adulte se trouve-t-il généralement à l'abri de ce vertige insipide et dangereux ? Sans doute parce que sa vie quotidienne est pleine d'appels, de réquisitions, d'urgences qui sont autant de passerelles jetées sur les abîmes qui séparent les heures les unes des autres. Et aussi parce que les mailles de son temps sont plus lâches, moins resserrées que celles du temps de l'enfant. Le rythme vital de l'enfant bat dix fois, cent fois plus vite que celui de l'adulte, et il lui faudrait une matière vécue dix fois, cent fois plus riche pour le remplir.

Vue de Normandie

Les souvenirs — comme les plantes — « prennent »
dans certaines terres, dépérissent et disparaissent
dans d'autres. Depuis trente ans que je passe une
partie de la belle saison dans cette pluvieuse et grasse
Normandie, de combien d'heures ardentes ou déso-
lées, ou simplement attentives, émerveillées ou de
pure contemplation, n'ai-je pas nourri ces herbages,
ces vergers, ces vallons bocagers, ces falaises, ces
rivages ? Et pourtant, c'est trop peu dire qu'il ne reste
presque rien de cette vie passée. Alors que telle ville
souabe, telle hauteur de la Forêt-Noire, tel hameau
bourguignon, telle plage bretonne, tel lac suisse me
submergent d'images et d'émotions dès que je
retombe sous leur charme — au point que je dois sans
cesse lutter contre la tentation de maniaques pèlerina-
ges vers ces lieux bénis —, ici pas une trace, pas une
relique, pas un fantôme. Les jours passés tombent
dans cette herbe haute et s'y perdent à jamais,
absorbés sans reste par cette terre avide et généreuse.
La prairie normande agit comme une tunique stoma-
cale, chaque graminée comme une papille digestive,
dissolvant la pomme blette, la feuille sèche, l'oiseau

mort, le nid tombé avec sa fragile cargaison d'œufs mouchetés, la poupée oubliée, les larmes, les rires, les souvenirs. Seuls les déserts peuvent conserver pendant des millénaires bijoux, pains d'épeautre et vierges momifiées. Chaque année, la puissante Normandie efface tout et recommence, et nous entraîne malgré nous vers l'avenir, vers des aventures neuves, vers une jeunesse verte. Dès lors comment ne pas se sentir en froid avec cette province trop riche pour cultiver le souvenir, trop saine pour s'attarder au regret ? Mais comment aussi ne pas revenir à elle pour nous laver de nos rêves et pour prendre avec elle le parti de vivre ? Rebutante et revigorante Normandie !

L'esprit de l'escalier

Dans la structure imaginaire privilégiée que constitue la maison, Gaston Bachelard attribuait un rôle fondamental au grenier et à la cave. A la maison toute de plain-pied — comme à l'appartement qui en est l'équivalent — il manque une dimension importante, la dimension verticale avec l'acte de monter et de descendre qui lui correspond. Cette dimension verticale, c'est l'escalier qui la matérialise, et plus particulièrement ces deux escaliers antithétiques et complémentaires : celui qui descend à la cave et celui qui monte au grenier, car, notez-le bien, on *descend* toujours à la cave, et on *monte* toujours au grenier, bien que la logique la plus élémentaire exige aussi l'opération inverse.

Or, si ces deux escaliers ont en commun un certain mystère et l'inconfort de leur raideur, ils possèdent des qualités bien différentes par ailleurs. Le premier est de pierre, froid, humide, et il fleure la moisissure et la pomme blette. L'autre a la sèche et craquante légèreté du bois. C'est qu'ils anticipent chacun sur les univers où ils mènent, lieu d'obscurité et de durée épaisse, maturante et vineuse de la cave, ciel enfantin et poussiéreux du grenier où dorment le berceau, la poupée, le livre d'images, le chapeau de paille enrubanné.

Oui, c'est bien cela : l'escalier est anticipation du lieu où il mène, et cette anticipation atteint son degré le plus ardent lorsqu'il monte de la salle du tripot à la chambre de passe et s'emplit des balancements d'une robe outrageusement échancrée et parfumée.

On devrait instituer une société protectrice des escaliers. L'architecture misérabiliste qui les supprime ou les réduit à la portion congrue est déplorable. Les tours gigantesques se condamnent elles-mêmes en rendant inévitables les ascenseurs, ces ludions funèbres, ces cercueils verticaux et électriques. Une vieille loi de l'urbanisme — ou de l'urbanité ? — voulait qu'une volée de marches n'excédât pas le nombre vingt et un d'un palier à l'autre. C'était la mesure humaine.

Il est vrai qu'il y a aussi l'escalier inutile, absolu, monumental et solennel. Celui-là ne connaît pas de mesure. Maître de la maison, il exige souverainement ces deux choses que le monde moderne tend de plus en plus à nous refuser : l'espace et l'effort.

L'espace, le grand escalier d'apparat, déployé comme un vaste éventail, le dévore à belles dents. Dans un palais, il revendique le principal, le centre, il rêve visiblement de tout prendre, d'envahir la totalité du volume intérieur. Il nous suggère de vivre sur ses marches, de dormir sur ses paliers. Et il prend tout en effet sur la scène du *Casino de Paris* ou des *Folies-Bergère* lorsqu'il étale, comme un immense et profane reposoir, les chairs les plus avenantes, somptueusement déshabillées.

Mais monter un escalier est dur, le descendre périlleux. Qui ne se souvient du cri de défi de Cécile Sorel au terme du dangereux exercice que lui imposaient sur scène ses falbalas et ses cothurnes de strass : « L'ai-je bien descendu ? »

Jean-Claude Mougin

Robert Hamelin

Maître Cerveau

Les anatomistes de la Renaissance ont sans doute été les premiers à le remarquer : l'homme nerveux ressemble à un arbre retourné. Le cerveau constitue sa racine en bulbe, la moelle épinière son tronc d'où partent quantité de branches qui éclatent elles-mêmes en une infinité de rameaux et de fibres. Cette position du cerveau à l'extrémité d'un arbre de nerfs est sans doute à l'origine de la fable parodique dont Paul Valéry n'a écrit que les deux premiers vers :

Maître Cerveau sur son homme perché
Tenait dans ses plis son mystère.

Le mystère des plis du cerveau ! A mesure que la neurologie avance dans la connaissance des douze milliards de cellules qui forment la substance grise, on voit s'épaissir ce mystère et progresser la conscience de notre ignorance, comme une lanterne descendue au bout d'une corde dans un gouffre n'en révèle que l'insondable profondeur. Le cerveau humain apparaît aujourd'hui comme un continent où presque tout est encore vierge, ses mers et ses îles, sa flore et sa faune, sa climatologie et son ethnographie. L'homme passe l'homme, disait Pascal. Notre propre cerveau nous dépasse, et on imagine aisément le discours effrayé et respectueux qu'un homme pourrait tenir à ce petit dieu gris et blanc enfermé dans le sanctuaire de sa propre tête :

O mon cerveau ! Je t'implore comme une divinité puissante mais capricieuse. Je t'interroge comme on fait tourner une table. Cerveau, es-tu là ? Poète, j'ai besoin d'une rime en mé (ou en ra, ou en fi), donne-la-moi ! Romancier, je te supplie de me fournir la chute d'une nouvelle dont je tiens déjà les trois quarts, mais sans bonne chute, point de bonne nouvelle. Critique d'art, il me faut la formule qui définira l'esthétique de tel peintre. Je te montre ses toiles une à une, je te dis Cherche ! cherche ! *comme au chien policier auquel on fait flairer la chemise de la petite fille disparue. Je te connais. Je fais confiance à tes inépuisables ressources. La commande que je te passe, je sais que tu peux la satisfaire, mais livre plutôt demain que dans deux ans !*

Car le temps est l'une des dimensions essentielles de cette machine vertigineuse aux milliards de rouages enchevêtrés qui est aussi mémoire. Les réflexes instantanés, les réponses immédiates ne sont pas son affaire, mais bien plutôt celle de la moelle épinière, ce sous-cerveau, simplifié à l'extrême, animal. Oui, le cerveau est mémoire, et donc temps. Il a besoin de temps pour se faire, et le temps le ronge. Le cerveau vieillit et meurt, ce qui est un scandale insupportable pour autant qu'il s'identifie à la pensée elle-même. Le cerveau, c'est l'esprit fait chair, et personne ne peut douter qu'un jour ou l'autre sa propre boîte crânienne ne contiendra plus qu'un grouillement d'asticots. Victor Hugo prétend avoir vu un valet jeter à l'égout le cerveau de Talleyrand — dont on venait d'embaumer le corps —, ce cerveau qui avait conduit deux révolutions, trompé vingt rois et fait trembler l'Europe pendant trente ans.

Cette mortalité du cerveau, les spiritualistes s'en émeuvent. On ne donnerait pas une idée fausse de la philosophie de Bergson en disant qu'elle consiste dans un effort désespéré pour sauver l'immortalité de l'esprit en limitant autant que possible le rôle du cerveau dans la pensée. Le cerveau ? Un simple organe de mime qui souligne les articulations motrices de la pensée, comme un chef d'orchestre indique par sa gesticulation les grandes lignes d'une symphonie. Voire ! En vérité chaque nouveau progrès de la neurologie fait reculer le domaine propre de l'âme et de son immortalité désincarnée.

Il faudra bien à la fin que les croyants se résignent à admettre le dogme de la résurrection de la chair. La vieille théologie nous fait un devoir d'y croire. A l'appel des trompettes du Jugement dernier, nous dit-elle, un corps nous sera rendu pourvu des quatre attributs glorieux qui sont l'impassibilité, la subtilité, l'agilité et l'éclat.

Mais ne sont-ce pas là justement les qualités propres du cerveau ?

Henri Cartier-Bresson

Les moulins de Beauce

Un moulin à vent, c'est d'abord une maison. Une vraie maison où gîte maître meunier.

Mais cette maison ne ressemble à aucune autre. D'abord elle se dresse solitairement à l'écart du village, au centre du pays plat céréalier. C'est souvent une tour de bois, posée sur un socle de maçonnerie en forme de tronc de cône ou de pyramide... Mais cette tour travaille et, pour ce faire, elle a des ailes. Et elle est capable de pivoter sur son socle afin de faire face à toute la rose des vents. Un cercle de bornes saillantes l'entoure comme un cadran solaire. Le meunier y prend appui pour déplacer la queue du moulin, et avec elle tout l'édifice.

Seul relief de la plaine, seul accueil du vent de la plaine, seul bois de la plaine, le moulin est maison, arbre, poumon. L'arbre secoue dans le vent sa crinière de feuilles en mugissant. C'est sa façon de respirer. Le moulin, craquant et gémissant de toute sa grande carcasse de vieux navire, brandit dans la véhémence de l'air ses quatre volants habillés de voiles. Cette affinité du moulin et de l'arbre a valeur de clef. En effet, de tous les instruments à vent —

voilier, planeur, orgue, cerf-volant, harpe éolienne, trompette —, le moulin est le seul qui répond à une vocation terrienne. Les autres flottent — dans l'eau, dans l'air, dans l'esprit. Lui, âprement fiché sur son socle, arc-bouté sur sa queue, jaillit directement de la terre grasse et accomplit pleinement sa mission qui est d'assurer la médiation entre le blé et le pain. Car le meunier reçoit du cultivateur et donne au boulanger.

Le meunier... Quels prestiges ne lui prête pas le folklore beauceron ! Il est maître chez lui en son château de bois, retiré à l'écart du bourg, comme une demeure d'aristocrate. Une réputation flatteuse et dangereuse l'entoure. Les filles savent ce qu'elles risquent en portant au moulin leur grain, lequel se charge aussitôt d'équivoque :

> *Venez, venez, la belle,*
> *Je moudrai votre grain !*

Lorsqu'il va au bal, le meunier revêt son beau costume de velours côtelé *blanc,* et il n'a garde de le brosser, car toutes celles qui auront dansé avec lui doivent en rapporter la marque qui fait honneur et porte bonheur.

Mais le meunier n'est pas invulnérable. Il redoute le chômage provoqué par le défaut de vent. *A moulin encalminé, meunier humilié.* Meunier contraint d'« aller à l'eau », c'est-à-dire de descendre dans la vallée pour faire moudre son grain par l'AUTRE, le concurrent, le meunier d'eau. Et il a sa maladie professionnelle qui est l'asthme, maladie éolienne par excellence. La maladie du meunier d'eau, c'est le rhumatisme, un mal qui s'attaque aux pleins du corps, articulations osseuses, nuque, épaules, râble. Tandis que l'asthme se situe dans le vide des bronches et des poumons.

Une calomnie obstinée a longtemps mis en cause l'honnêteté du meunier. Le poids du grain qu'on lui livre et celui de la farine qu'il restitue accuseraient des différences assez troublantes. En vérité, cette fâcheuse réputation se résout, selon une vieille légende beauceronne, en un mauvais calembour. Sommé d'avoir à s'envoler dans les airs par le Bon Dieu lui-même, le père Caillaux — de Fresnay-Lévêque — avait pensé se rompre le cou en sautant du haut de la porte du monte-sacs de son moulin. Ayant ainsi manifesté son incapacité, « console-toi, Désiré Caillaux, lui aurait dit le Bon Dieu, si tu ne peux pas voler en haut, eh bien, vole en bas ».

L'historiette va plus loin qu'on ne pense. Prisonnier du sol comme un voilier échoué sur un banc de sable, le moulin ne bat-il pas des ailes désespérément pour tenter de s'arracher, de planer, de voler ? On songe à quelque grand papillon gauche et fragile, cruellement épinglé sur un bouchon. S'il en était ainsi, il serait naturel que le meunier eût sa part de cette grande aspiration de la machine agricole rêvant de devenir aéroplane. Don Quichotte lui-même, chargeant un moulin et emporté avec Rossinante par ses ailes, ne voulait peut-être que partir aussi avec ce qu'il avait pris pour un grand oiseau sur le point de s'envoler.

Les fiancés de la plage

C'était à Villers-sur-Mer, mais Plozévet, Mimizan ou Le Lavandou auraient aussi bien fait l'affaire. Je m'étais posé, curieux et solitaire, à proximité d'un de ces groupes tribaux qui rassemblent sur le sable grands-parents, parents, enfants, cousins, amis et amis des amis. Je songeais que les plages estivales sont la dernière chance de la famille au sens large du mot, au sens de maison, maisonnée, alors que partout ailleurs la famille est réduite à sa plus simple expression : papa-maman-enfant. L'automobile — et ses dimensions — y est certainement pour quelque chose, et il faudrait dans une sociologie moderne comparer la famille-plage et la famille-auto, comme Marcel Mauss, dans un essai célèbre, distinguait chez les Eskimos la vie communautaire de l'hiver et la dispersion en groupes réduits de l'été.

Le fait est que c'est en vacances — sur les plages singulièrement — que la plupart des futurs couples se forment. Des jeunes gens et des jeunes filles habitant la même ville — voire le même quartier — se croisent, se côtoient onze mois sans se remarquer. Sans doute n'ont-ils pas la « tête à ça ». Pour qu'ils « se

regardent », comme on dit aux champs, il leur faut la plage, qui apparaît dès lors comme un vaste champ de foire aux fiancés.

Cependant que je me faisais ces réflexions, à quelques mètres de moi le palabre allait bon train. Au centre du groupe, la maman, plus toute jeune, un peu corpulente déjà, serrait en silence sur ses genoux le plus jeune, six ans peut-être. Mais autour d'eux les adolescents parlaient avec animation d'un concours de beauté avec élection d'une « miss » locale organisé le soir même au casino. On lance des prénoms de demoiselles ayant des chances de vaincre. Les filles se défient, intimidées et envieuses, affichant un détachement apparent pour ce genre de manifestation.

Soudain, un ange passe, et on entend la voix du petit garçon :

— Mais toi, maman, pourquoi tu ne te présentes pas au concours de beauté ?

Stupeur d'un instant. Puis hurlements de rire des adolescents. Ce gosse, quel idiot ! Non mais, tu vois ça, maman au concours de beauté !

Mais, au milieu de tout ce bruit, il y en a deux qui ne disent rien. Le petit garçon qui ouvre de grands yeux et qui regarde passionnément sa mère. Il ne comprend rien, mais vraiment rien du tout à ce déchaînement de gaieté grossière. Il a beau écarquiller les yeux, ce qu'il voit indiscutablement, c'est la plus belle des femmes.

Et la maman, plus toute jeune, un peu corpulente déjà, qui regarde son petit garçon. Non, qui *se* regarde avec émerveillement dans les yeux de son petit garçon.

Les fiancés de la plage...

Le troisième A

Il avait été question ce matin-là de quelques amis célèbres, Achille et Patrocle, Oreste et Pylade, Montaigne et La Boétie. Mais comme l'amitié fait par trop figure de modeste second loin derrière l'amour dans notre mythologie sentimentale, le maître s'employait à tracer un parallèle où elle avait la part belle.

— Voyez-vous, mes enfants, expliquait-il, la grande différence entre l'amour et l'amitié, c'est qu'il ne peut y avoir d'amitié sans réciprocité. Vous ne pouvez pas avoir d'amitié pour quelqu'un qui n'a pas d'amitié pour vous. Ou elle est partagée, ou elle n'est pas. En somme, il ne peut pas y avoir d'amitié malheureuse. Tandis que l'amour, hélas !

Il y eut un silence dans lequel s'engouffra toute la passion amoureuse grandie, nourrie, exaspérée par l'indifférence de l'être aimé. Et le maître évoqua le fameux carrousel de la tragédie racinienne où A aime B qui aime C qui aime D qui aime A, de telle sorte que tout le monde se court après en pleurant. « Ne dites jamais *Aime-moi !* cela ne servirait à rien, avertissait Paul Valéry. Toutefois Dieu le dit... »

Mais cette première médaille accordée à l'amitié devait être redoublée.

— Il y a une autre différence entre l'amour et l'amitié, reprit le maître. C'est qu'il ne peut pas y avoir d'amitié sans estime. Si votre ami commet un acte que vous jugez vil, ce n'est plus votre ami. L'amitié est tuée par le mépris. Tandis que l'amour, hélas !

Nouveau silence dans lequel passa toute la rage amoureuse indifférente à la bêtise, à la lâcheté, à la bassesse de l'être aimé. Indifférente ? Nourrie même parfois par toute cette abjection, comme avide, gourmande des pires défauts de la personne aimée ! Car l'amour peut aussi être coprophage.

Le maître en était là de ses réflexions, et il considérait avec perplexité tous les jeunes visages tournés vers lui, se demandant ce qu'ils pouvaient avoir connu à un âge si tendre des eaux claires et fraîches de l'amitié, brûlantes et troubles de l'amour... quand un doigt se leva au fond de la classe.

— Bien, monsieur, mais... et l'admiration ?

L'admiration ? Que vient faire ici l'admiration ? Un parallèle est un parallèle, que diable ! Il ne convient pas d'en troubler le jeu par des incidences incongrues !

— Oui, eh bien, l'admiration ? Pourquoi citez-vous l'admiration ?

L'enfant, décontenancé, hésite un instant.

— C'est que ça commence aussi par un A, monsieur.

Toute la classe éclate de rire. Le maître tape sur la table. Va-t-il punir le trublion ? Mais il réfléchit, se ravise. L'admiration ? N'est-ce pas justement la réponse à la question qu'il se posait à l'instant, lorsqu'il se demandait quelle place pouvaient avoir l'amour et l'amitié dans ces jeunes cœurs ? Il sait que s'il soulevait les couvercles de tous les pupitres de la classe, il découvrirait, collée contre leur face intérieure, toute une imagerie extraite des magazines et des journaux, un olympe juvénile peuplé de vedettes de cinéma, de chanteuses, de champions de boxe ou de cyclisme. Il connaît, pour l'avoir examinée plus d'une fois, cette hagiographie puérile. Il sait notamment qu'elle change de sexe sous le coup de la puberté de son auteur, que la fillette de treize ans délaisse les vedettes féminines qu'elle adorait jusque-là pour se tourner vers les héros masculins, au moment où les garçons abandonnent Tarzan et James Bond pour adorer Sheila et Marie-Paule.

Mais il n'ignore pas non plus les poisons qu'il mettrait à jour sous ces couvercles, comme on découvre un nid de serpents en basculant une pierre, têtes patibulaires, photos de gangsters, portraits de voyous que notre société auréole stupidement du prestige de la peine de mort. Car l'admiration, plus encore que l'amour, peut être une passion dangereuse.

L'admiration est comme une nébuleuse originelle d'où sortent plus tard, par vieillissement et refroidissement, et l'amour et l'amitié. Passion juvénile, primaire, immature, elle peut être lumineuse, enrichissante, salvatrice, mais aussi corruptrice, meurtrière, dévastatrice. Les tyrans le savent. Chez certains adultes d'une inaltérable jeunesse — ou faut-il dire d'une incorrigible immaturité ? —, elle l'emporte sur tout autre sentiment, devançant et noyant à l'avance l'amour et l'amitié dans le même élan vers la vie.

« Étonne-moi ! » disait à Cocteau Serge de Diaghilev. Par cette injonction, il le suppliait d'être si novateur, créateur, génial, qu'il restât toujours à ses yeux en état de transfiguration, et donc adorable, admirable...

Edouard Boubat

Les accidents,
les niaiseries et le reste

« Ce jour-là, il y avait une poule sous un arbre. »
Telle est l'information que véhicule cette photographie de Boubat. Une information qui en vaut bien une autre, me semble-t-il : tremblement de terre en Iran, enlèvement d'un milliardaire à Turin ou couronnement d'un empereur en Afrique centrale. Or il suffit de formuler ces affirmations pour se faire taxer de cynisme, de paradoxe ou de débilité mentale. En vérité, il y a dans le regard de certains hommes une qualité de naïveté qui équivaut à l'anarchisme le plus provocant. Le soir du 14 juillet 1789, Louis XVI notait dans son journal qu'il n'y avait rien justement à noter ce jour-là. Peut-être la poule n'était-elle pas venue sous l'arbre. Dès lors, que restait-il à dire ?

De tels hommes sont des scandales vivants. On les préfère morts. C'est pourquoi Louis XVI a été guillotiné. A toute autre occupation, il préférait forger des clefs. Tout un programme. C'est que la photographie n'existait pas encore. Sinon, il aurait fait des photos, et il aurait été l'ancêtre d'Édouard Boubat. Lequel est lui aussi une manière de faiseur de clefs.

Les ancêtres de Boubat s'appellent donc Charles Nègre et Eugène Atget. D'un naturel paisible, ils descendaient dans la rue non pour manifester, mais quand ils s'étaient assurés au contraire qu'il ne s'y passait rien. Ils laissèrent aux « pionniers du reportage photographique » les guerres (guerres de Sécession et de Crimée) et les défilés militaires, c'est-à-dire les accidents et les niaiseries. Écartés les accidents et les niaiseries, que reste-t-il? Réponse : l'essentiel. L'essentiel, c'est-à-dire une marchande des quatre-saisons, un ouvrier sur son chantier, le guignol du jardin du Luxembourg, ou un enfant qui va à l'école en chantonnant :

> *Une poule sur un mur... qui picorait du pain dur...*
> *Picoti, picota, lève la queue et puis s'en va...*

Nous voilà revenus à la poule de Boubat. Rien d'étonnant, car cette poule est une clef. La preuve, c'est qu'à la comptine de l'écolier répond en écho la petite musique de Verlaine. Du fond d'une prison où il est pour un temps à l'abri des accidents et des niaiseries — Rimbaud, la petite fée verte —, Verlaine s'est mis à l'écoute de la ville où il ne se passe rien :

> *Un oiseau sur l'arbre qu'on voit*
> *Chante sa plainte.*
> *Mon Dieu, mon Dieu, la vie est là,*
> *Simple et tranquille.*
> *Cette paisible rumeur-là*
> *Vient de la ville.*

Mais Boubat va vers l'essentiel plus loin encore que

l'écolier, plus loin que Verlaine. Pas une feuille de son arbre ne bouge. Sa poule ne chante pas, ne picore pas, ne lève pas la queue, ne s'en va pas. On ne peut davantage tourner le dos au pittoresque, à l'anecdote, au pris-sur-le-vif, à l'image capturée à la sauvette. L'arbre et la poule sont figés dans la conscience du rôle fondamental qui leur incombe : incarner des symboles de permanence, de fidélité, de confiance.

Boubat ou la douceur de l'être.

Le rouge et le blanc

Ils font équipe sur la piste du cirque, mais ils sont bien différents. Le blanc, habillé de soie, poudré à frimas, un sourcil relevé très haut sur son front comme un point d'interrogation, chaussé de fins escarpins vernis, les mollets cambrés dans des bas arachnéens, a toute l'élégance hautaine d'un seigneur. La trogne poivrote et le nez en pomme de terre du rouge, sa large bouche, ses yeux ahuris, sa démarche embarrassée par ses énormes croquenots, tout trahit chez lui le niais, le rustaud, la tête de Turc sur laquelle vont pleuvoir les coups et les lazzis.

Car ces deux clowns incarnent deux esthétiques tout opposées du rire. Le blanc cultive l'insolence, le persiflage, l'ironie, le propos à double sens. C'est un maître du second degré. Il fait rire des autres, d'un autre de préférence, le clown rouge, l'auguste. Mais lui garde ses distances, il reste intact, hors d'atteinte, le rire qu'il déchaîne ne l'éclabousse pas, c'est une douche destinée au rouge, qui est là pour encaisser. Ce rouge s'offre à tous les coups en poussant son discours, son accoutrement et sa mimique au comble du grotesque. Il n'a pas le droit d'être beau, spirituel,

73

ni même pitoyable, cela nuirait à la sorte de rire qu'il a pour fonction de soulever. Rien n'est trop distingué pour le blanc : plumes et duvets, dentelles et taffetas, strass et paillettes. Rien n'est assez burlesque pour le rouge : perruque tournante, crâne de carton sonore, plastron géant et manchettes de celluloïd.

Aussi bien ces deux personnages symbolisent-ils deux attitudes opposées devant la vie, et tous, tant que nous sommes, nous décidons à chaque moment d'être blanc ou d'être rouge face aux situations de l'existence. Nous pouvons nous frapper la poitrine — soit pour nous accuser, soit par défi orgueilleux —, attirer sur nous les regards et les cris, nous désigner à l'admiration ou à la vindicte des foules. C'est le parti pris rouge d'un Rousseau ou d'un Napoléon, de tous les gens de théâtre et de tous les tyrans. Au contraire, le parti pris blanc d'un Voltaire ou d'un Talleyrand fait les témoins sarcastiques de leur temps, les diplomates, les calculateurs, tous ceux qui veulent observer et manœuvrer sans s'exposer, gagner sans mettre en jeu leur liberté, leurs biens ni leur personne.

Éloge
de la chair dolente

Longtemps le nu artistique et la vie sont demeurés inséparables. La sculpture grecque exaltait le corps de l'athlète dans la gloire de l'effort ou le triomphe du repos. Irréprochable du point de vue anatomique, elle reposait tout entière sur l'observation du corps vivant. Praxitèle ne connaissait que vivants en pleine action ou dans le recueillement qui précède l'effort. Pour des raisons de religion ou de mœurs, il n'avait jamais ouvert un cadavre. Il faut attendre la Renaissance — et singulièrement le Flamand André Vésale — pour que soit transgressé l'interdit qui frappait la dissection humaine. Dès lors tous les artistes vont se ruer dans les cimetières, sous les gibets, dans les chambres de torture. Les carnets de Léonard de Vinci regorgent de planches anatomiques, et un siècle plus tard Rembrandt couronne cet étrange courant avec sa célèbre *Leçon d'anatomie.*

La soif de connaître n'explique pas à elle seule cette sorte de nécrophilie. Il y a là aussi une manière de bravade à l'encontre de la mort dont on a dit pourtant qu'elle ne pouvait, pas plus que le soleil, se regarder en face. Et enfin un goût morbide pour la souffrance

qui n'a cessé d'alimenter l'art chrétien des calvaires et des descentes de croix.

Le corps humain blessé, soigné, tué et mis en linceul, grand thème qui remue en chacun de nous des vertiges métaphysiques et des ivresses sado-masochistes. Il s'agit d'une dialectique assez perverse qui alterne cruauté et caresse, mise à mort et glorification. Le pansement prend la relève du drapé classique, plus intime, plus équivoque, puisqu'il habille non la nudité, mais la plaie. Paul Valéry disait : « La vérité est nue, mais sous le nu, il y a l'écorché », entendant par là qu'une réalité plus profonde attend et récompense l'art qui sait être implacable.

La femme et le dandy

On a dit de Degas — le peintre des danseuses de l'Opéra — qu'il posait sur la femme le regard glacé, lucide, démystifiant, haineux du plus invétéré des misogynes. Sans doute. Mais prendre un être pour modèle et faire un chef-d'œuvre, n'est-ce pas une sorte d'hommage et presque une déclaration d'amour ?

Degas, on le sait, s'inspira beaucoup — par exemple pour ses cadrages — des photographies de son époque, celles notamment de Robert Demachy. On a même pu soutenir qu'il peignait parfois directement *sur* des épreuves photographiques. Ce qui est certain, c'est que par son style — froid, réaliste et cependant hautement sophistiqué —, par l'usage qu'il fait de la femme prise comme « matière première », il peut passer pour l'ancêtre d'un certain type de photographe, pour le patron en quelque sorte des photographes de mode.

Parmi ses descendants, l'une des premières places revient à Jean-Loup Sieff. Longtemps, cet éternel jeune premier au nom fluide, doux comme une plume, s'est endurci à la rude discipline des magazines de grand luxe. Il a cultivé les toilettes vernissées, les coiffures sculptées, les maquillages cireux — ou au contraire flamboyants —, les corps décharnés, figés dans des poses torturées, éclairés par un regard aux profondeurs de khôl. Fascinant univers de la mode ! Dialogue muet de la femme, coléoptère exhibé à la pointe d'une épingle — c'est bien cela que veut dire *pin-up girl* —, et du fétichiste invisible, inventif, impérieux, souvent homosexuel, fermement décidé à mortifier cette chair autant que l'exigera son âpre passion.

De ce jeu cruel — et d'une très sévère frivolité — Jean-Loup Sieff a appris tous les tours. Il a fourbi ses armes et aiguisé son œil. Puis il l'a dépassé. Tout en conservant précieusement ses formules, ses filtres, sa magie, il a fait autre chose, tout autre chose. Apparemment tout le contraire : des nus.

Car le falbala dévore la chair et il n'y a rien de plus contraire à l'image de mode que la photo de nu. Dans l'image de mode, le vêtement est roi, le corps ravalé au rôle de présentoir à vêtements, portemanteau, cintre. C'est pourquoi un mannequin n'est jamais assez mince, diaphane, squelettique. Il est vrai que la peinture surréaliste — Chirico notamment — parcourt le chemin inverse et s'enchante de mannequins de bois, d'armatures d'osier, de personnages en fil de fer, de marottes en œuf d'autruche qui lui paraissent autant d'agressions toniques et destructrices contre la statuaire académique.

Il me semble que Sieff va plus loin, plus profond dans ce sens, en braquant l'œil froid et décharnant du couturier sur le corps féminin entièrement nu. Ici la chair se trouve cernée, glacée, captive d'un miroir

Jeanloup Sieff

magique. Mais il faut bien en convenir : ces images, qui sont le comble de la sophistication, possèdent un charme irrésistible. Il y a de l'arrogance dans l'art de Sieff, un parti pris de déplaire, une froideur hautaine, une distinction qui frise la morgue, mais sa séduction n'en est que plus forte. Jean Cocteau voulait qu'on vulgarisât le mot *génie*, abusivement divinisé par les romantiques, pour pouvoir parler comme Stendhal du « génie » avec lequel telle duchesse savait descendre de sa calèche. A l'inverse, les photos de Sieff — qui sont comme l'éclatement de l'image de mode — nous suggèrent de donner au mot *chic* une ampleur nouvelle. Le chic devrait devenir le principe d'une morale, d'une érotique, d'une religion, d'une méta-physique. Principe où il y aurait du contournement et de la torture, car on n'oublie pas que *chic* vient étymologiquement de *chicane.*

Mais n'est-ce pas tout justement cela, le *dan-dysme*? Baudelaire nous en avertit : la morale du dandy ne lui interdit pas d'assassiner. Encore faut-il que même là — surtout là — il mette ce qu'il faut de distinction, d'insolence, de provocation... bref de chic. Et il affirme que le dandysme, par certains côtés, « confine au spiritualisme et au stoïcisme ». D'ail-leurs, ne dirait-on pas que c'est en marge de quelques photos de Jean-Loup Sieff que l'auteur des *Fleurs du mal* a écrit ces mots :

Le caractère de beauté du dandy consiste surtout dans l'air froid qui vient de l'inébranlable résolution de ne pas être ému; on dirait un feu latent qui se fait deviner, qui pourrait mais qui ne veut pas rayonner. C'est ce qui est dans ces images parfaitement exprimé.

Le nu n'est pas la seule voie par laquelle Jean-Loup Sieff s'est évadé du magazine de mode. Il a su s'arracher à ses studios, ses spots et ses femmes peintes pour opérer une incursion dans la photographie de plein air. Jean-Loup Sieff paysagiste ! Oh, certes, on parlerait difficilement de campagne à son sujet. Veaux, vaches, cochons et couvées ne sont pas son fort — ni son faible, je crois. Sa terre ne sent pas la bouse, ni ses maisons le feu de bois. C'est bien du paysage, oui, du vrai paysage, mais stylisé, affiné, gratté jusqu'à l'os, réduit à la quintessence. C'est l'Angleterre, ses Rolls, ses chauffeurs en livrée, ses chapeaux melons, ses villas blanches, ses villas grises. Plus tard ce sera l'Afrique désertique, plus tard encore les confins abandonnés de la Vallée de la mort en Californie. Il faut en prendre son parti : l'œil de Sieff ne voit que des épures.

Arthur Tress

Diaphragme

L'appareil de photo doit beaucoup de sa séduction au diaphragme à iris qui ajoute au trou rond de l'objectif un organe délicat, subtil et d'une vivante ingéniosité. C'est une corolle de lames métalliques qu'on peut éloigner ou rapprocher de son centre, augmentant ou diminuant ainsi l'ouverture utile de l'objectif. Il y a de la rose dans ce dispositif, une rose qu'on peut à volonté fermer ou épanouir. Il y a aussi là du sphincter et, en le voyant se serrer ou se relâcher derrière la lentille de l'objectif, on pense vaguement paupière, lèvre, anus.

Ce n'est pas tout. A cette troublante anatomie, le diaphragme ajoute une physiologie d'une très vaste et magique portée. Car tous les photographes savent qu'en fermant le diaphragme on diminue l'entrée de la lumière dans la chambre noire, mais qu'on augmente en revanche la profondeur de champ. Inversement, en augmentant son diamètre, on perd en profondeur ce qu'on gagne en clarté.

Rien de plus universel en vérité que ce dilemme qui oppose profondeur et clarté, et oblige à sacrifier l'une pour posséder l'autre. On appartient à l'un ou l'autre de deux types d'esprits opposés selon que l'on choisit la clarté superficielle ou la profondeur obscure. « Le défaut majeur des Français, disait mon maître Éric Weil, c'est la fausse clarté; celui des Allemands, c'est la fausse profondeur. »

C'est naturellement dans le portrait que l'option devient la plus urgente. En diaphragmant plus ou moins, on donne plus ou moins d'importance aux plans éloignés qui se trouvent derrière le sujet, et tout ce qui est accordé d'attention à ces arrière-plans est refusé au sujet portraituré. Si la Joconde avait été photographiée par Léonard de Vinci, il aurait à coup sûr fermé son diaphragme au maximum — un trou d'aiguille — puisque, derrière ce visage au sourire célèbre, on distingue parfaitement un lointain pay-sage avec ses rocailles, ses arbres et ses lacs. Encore faut-il que ce « fond » — qu'il soit rural ou urbain, intime ou architectural — ait une existence propre et ne se réduise pas à quelques attributs attachés symboliquement à une figure humaine centrale, comme par exemple les arbres du Paradis flanquant le couple Adam et Ève, ou le château dont la silhouette crénelée se découpe derrière le portrait d'un seigneur. Il faut au contraire qu'il ait une présence autonome assez forte pour concurrencer celle du ou des personnages, menacés à la limite d'être « avalés » par le paysage où ils ne joueront plus que le rôle modeste d'éléments humains à côté de la faune et de la flore.

Dès lors, la présence ou l'absence d'un décor d'arrière-plan prend une signification de vaste portée dont on retrouve l'équivalent en littérature, voire dans les sciences humaines. Car il n'est pas indifférent dans un roman que le héros soit décrit en lui-même, abstraction faite de ses origines ou de son milieu, sur fond indifférencié — à diaphragme ouvert —, ou au contraire à diaphragme fermé, replacé dans un ensemble socio-historique dont il est solidaire et où il puise sa signification. Si l'on parcourt les grands romanciers français du XIXe siècle — Stendhal, Balzac, Flaubert, Hugo, Maupassant, Zola —, on constate que l'ouverture du diaphragme varie de l'un à l'autre et qu'elle a très grossièrement tendance à diminuer. Le personnage présenté par Stendhal sans son milieu ou en contradiction avec ses origines — Julien Sorel — s'y intègre au contraire profondément avec Zola pour n'être plus qu'une des données du milieu social, lequel constitue le véritable sujet de l'étude romanesque. Stendhal : F 4; Zola : F 16.

Miroir

Au restaurant avec Daniel W. Il s'assoit sur la banquette et se relève aussitôt comme électrisé en me demandant de changer de place avec moi. C'est, m'explique-t-il ensuite, qu'assis à cette place on se voit dans la glace du mur opposé, circonstance qu'il juge absolument intolérable. Puis il s'acharne à me convaincre que la vue d'un personnage nommé Daniel W. l'exaspère, non pas du tout parce que ce personnage, c'est lui-même, mais en raison de telle et telle qualité physique ou physico-morale — expression, type, allure, etc. — qu'il exècre particulièrement. « J'aurais un autre physique, je serais physiquement l'un quelconque des clients ou des garçons de ce restaurant, je me supporterais sûrement, je m'aimerais peut-être. Mais, puisque nous sommes sur un sujet aussi pénible, avez-vous remarqué combien ma bouche est ignoble ? Avec sa lèvre supérieure à peine dessinée et sa lèvre inférieure épaisse comme un boudin, c'est l'instrument caractéristique du mensonge, de la plaisanterie basse et même des services inavouables d'alcôve ou de vespasienne. Et mes yeux ? Avez-vous noté ceci qui est atterrant : les yeux

91

sont faits pour voir et non pour être vus. Cependant certains yeux se signalent à l'attention par quelque qualité frappante, ils peuvent être pétillants, vastement ouverts sur le monde, perçants, rêveurs, etc. Les miens pourraient passer pour brillants, mais ce serait inexact. En vérité ils ne sont pas brillants, ils sont *luisants*. Il y a quelque chose d'huileux dans leur éclat, une lueur louche, comme la fenêtre d'un taudis ou d'un lupanar ! »

Je prends le parti de sourire de cette sortie furibonde, mais je la crois sincère. Seulement ne s'agit-il pas d'une passion narcissique qui aurait tourné à la haine parce que déçue, trahie ? Mais trahie par qui ? Quoi qu'il en soit, Daniel W. tire de sa haine une considération qui dépasse son cas particulier.

— Ils me font rire, me dit-il, ceux qui croient à l'immortalité de l'âme ! Vous voyez d'ici nos ignorances, nos travers, cet absurde faisceau de goûts et de dégoûts que nous appelons notre personnalité, et même, pourquoi pas — le dogme de la résurrection de la chair l'exige —, nos nez rouges, nos calvities, nos yeux trop rapprochés, vous voyez d'ici toutes ces misères promues à l'éternité ? Quelle dérision ! Quel désespoir ! Non, vraiment, quand on se regarde sans complaisance, il faut en convenir : le néant est la sagesse même.

Arthur Tress

L'autoportrait

Pour déceler l'autoportrait dans les œuvres peintes du Moyen Age, il faut faire preuve de sagacité, car l'artiste se dissimule souvent au milieu de la foule anonyme figurée sur sa toile, ou il prête son propre visage, au contraire, à l'un de ses personnages majeurs, tel Masaccio dont la tradition veut qu'il se soit représenté dans l'un des apôtres de l'église Santa Maria del Carmine à Florence. Il faudra attendre la Renaissance et son individualisme intrépide pour que l'artiste n'hésite plus à se manifester à visage découvert. Raphaël sera l'un des plus illustres à franchir le pas, notamment dans l'*École d'Athènes* où on le voit s'entretenir avec Zoroastre, Ptolémée et Sodoma. Mais c'est Albert Dürer qui, à la même époque, élève l'autoportrait au niveau d'un genre artistique destiné à devenir classique. On possède six autoportraits de Dürer — le plus ancien à l'âge de treize ans —, plus deux *autonus*, chose tout à fait exceptionnelle dans l'histoire de l'art. L'un de ces nus était probablement destiné à une consultation médicale par correspondance. En effet, le personnage montre du doigt un point de son flanc gauche entouré d'un cercle, et un texte inscrit en haut du dessin dit, telle une bulle de bande dessinée : « C'est là que j'ai mal. » On croit savoir au demeurant que Dürer est mort d'une inflammation de la rate.

Environ un siècle plus tard, Rembrandt devient le grand champion de l'autoportrait avec soixante tableaux, vingt-huit gravures et seize dessins. Plus près de nous, Gustave Courbet et Vincent Van Gogh sont de céux qui nous ont laissé les images d'eux-mêmes les plus nombreuses et les plus impressionnantes.

Diverses et en partie tout opposées sont les motivations qui peuvent animer l'étrange comportement de l'artiste dont les yeux vont et viennent du miroir à la toile. On songe naturellement d'abord à Narcisse et à l'amour de soi. « Je ris de me voir si beau en ce miroir ! » semblent chanter Dürer jeune mais aussi Rubens au sommet de sa réussite, entouré de sa femme et de sa progéniture, et surtout Courbet, si faraud de son masque parfaitement régulier encadré par une barbe d'ébène. A l'inverse, l'autoportrait peut prendre la forme d'un aveu et d'une accusation de l'artiste face à la société de son temps : ce jour-là, j'étais si seul, si abandonné de tous, qu'il ne me restait à peindre qu'un seul visage humain, le mien. Et de se représenter la mine hagarde et le regard traqué. Tels sont les autoportraits de la vieillesse de Rembrandt et tous ceux de Vincent Van Gogh (en tout trente-cinq). Misère et splendeur, tels sont les deux pôles entre lesquels oscille ce genre pictural ambigu. Il faudrait ajouter parfois : goût du déguisement, du travestissement, de la mystification, et là Rembrandt et Courbet rejoignent les artistes du Moyen Age qui s'introduisaient eux-mêmes dans leurs compositions en soldats, en âniers, en Rois mages, en évangélistes.

Mais il faut remonter beaucoup plus loin, pensons-nous, pour découvrir la clef véritable de l'autoportrait, plus loin, plus haut, à l'origine de tout. Car lorsque la Bible nous apprend que Dieu a fait l'homme à son image, qu'est-ce à dire sinon que l'homme est l'autoportrait de Jéhovah ? L'homme, image de Dieu. De quel Dieu ? De Dieu modelant sa propre image dans le limon, c'est-à-dire l'image d'un *créateur en train de créer*. Nous touchons là à l'essence de l'autoportrait : c'est le seul portrait qui reflète un créateur au moment même de l'acte de création. Spinoza distinguait la nature naturante et la nature naturée *(natura naturans et natura naturata)* : la première active, jaillissante, divine; la seconde passive, achevée, matérielle. On pourrait dire que le portrait relève normalement de la nature naturée. A son modèle, l'artiste recommande de se détendre, d'être « naturel », de penser « à autre chose ». Ce sont des invitations à la pure et sereine passivité. Il ne saurait se donner à lui-même les mêmes conseils lorsqu'il s'inscrit dans le flux de la nature naturante en faisant son propre portrait. Le visage qu'il peint est nécessairement celui d'un homme tendu, attentif, en plein effort de création.

L'autoportrait photographique est, à ma connaissance, pratiquement absent des œuvres des grands photographes. Lacune surprenante si l'on songe que la photographie a pratiquement supplanté — et presque supprimé — le portrait peint ou dessiné. Pourquoi cette timidité du photographe, qui sur ce seul point n'accepte pas de suivre son frère ennemi le peintre ? Peut-être parce qu'il y a dans la prise de vue photographique — beaucoup plus que dans le dessin — une part de prédation, d'agression, d'attaque qui fait peur quand il s'agit de la tourner contre soi-même. Le portrait peint se prolonge souvent sur plusieurs séances de plusieurs heures. L'acte photographique se concentre dans une fraction de seconde. On conçoit que le photographe hésite à braquer sur son propre visage cette bouche noire qui prend et qui garde avec une rapidité foudroyante. Il n'aime pas se faire à lui-même ce qu'il fait si bien aux autres...

Je connais toutefois une exception éclatante à cette règle. Le photographe new-yorkais Arthur Tress a publié, sous le titre *Shadow*[1], un petit livre de quatre-vingt-seize photos de lui-même, ou plus exactement de son ombre. A l'inverse du héros de Chamisso, ce Peter Schlemihl qui avait vendu son ombre au diable, Tress nous raconte ici les aventures d'une ombre qui a perdu son homme, son Arthur Tress. Les titres des chapitres parlent d'eux-mêmes : le prisonnier, la quête, le voyage, la ville, le labyrinthe, la vallée des miracles, les ancêtres, initiations, le pèlerinage, paroles et messages, le vol magique, métamorphoses, l'illumination. Ce livre est l'unique exemple d'un roman subtil, complexe et de très vaste portée, raconté par une suite de photographies de toute beauté, sans un mot de légende ou de commentaire.

1. Avon, édit., New York.

L'image érotique

Qu'est-ce que l'érotisme ? C'est la sexualité même, considérée comme un absolu, c'est-à-dire dans son refus de servir la perpétuation de l'espèce. C'est l'exercice de la sexualité envisagée comme fin en soi, comme luxe pur. De même la gastronomie coupe la nourriture de sa fonction alimentaire, l'érige en valeur absolue et fait de la cuisine un art désintéressé. Le gastronome et l'homme qui a faim ne peuvent que se tourner le dos. Lorsque la morale victorienne condamne tout acte sexuel qui n'est pas accompli dans les conditions et dans le but de la procréation, c'est tout simplement à l'érotisme qu'elle s'en prend. Quand Napoléon, ayant répudié la stérile Joséphine pour prendre en mariage Marie-Louise, disait : « J'épouse un ventre », il retirait à l'avance tout sens érotique aux relations qu'il aurait avec sa future femme. A l'inverse, la pilule et l'avortement, dont la fonction est d'enlever tout sens procréateur à l'acte sexuel, sont des auxiliaires de l'érotisme. L'homosexualité, originellement coupée de la procréation, est plus innocemment érotique que l'hétérosexualité astreinte à ces subterfuges dangereux et criminels.

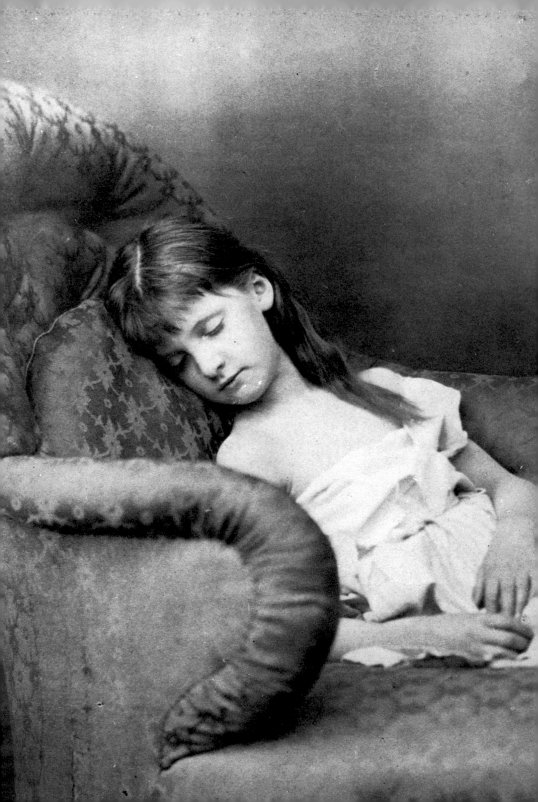

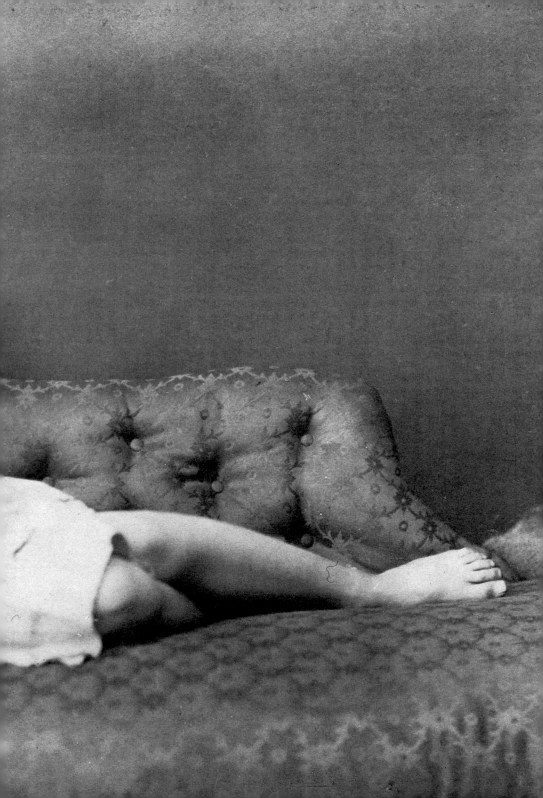

La procréation se limite strictement dans le temps et dans l'espace. A la rigueur, un père de famille de trois enfants ne devrait pas avoir fait l'amour plus de trois fois dans sa vie, et encore, à supposer qu'il n'ait pas eu de jumeaux ! Or un homme a en moyenne entre cinq mille et dix mille éjaculations dans sa vie, et il est avec le cochon le seul animal qui fasse l'amour en toute saison. Ces simples chiffres mesurent l'imposture de la morale victorienne et l'irrépressible vocation érotique de l'homme.

La force expansive de l'érotisme gagne tous les domaines. On pourrait parler d'un panérotisme, d'un impérialisme de l'érotisme. Toutes les voies et toutes les voix lui sont bonnes. Il profite même des obstacles que dressent contre lui la haine morbide et la peur du sexe qui tiennent lieu de morale à la société. Don Juan n'est rien d'autre que la personnification mythologique de l'érotisme défiant la société, le mariage et la religion, et s'affirmant avec un courage et une gaieté héroïques contre l'ordre castrateur. Il est vrai que l'érotisme de Don Juan prisonnier d'une société formidablement verrouillée — l'Espagne du XVIe siècle — ne peut s'exprimer que par le parjure, le blasphème et l'assassinat. On retrouve dans ce cas particulier la terrible et sanglante dialectique qui oppose, comme deux frères ennemis également criminels, le terrorisme et le contre-terrorisme.

Parmi les voies d'expansion de l'érotisme conquérant, la photographie occupe une place privilégiée. Déjà l'image peinte, sculptée, puis imprimée charriait avec elle une charge érotique intense, comme le vent de printemps des tonnes invisibles de pollen. Avec la photographie, la distance entre le modèle et le spectateur diminue considérablement. La valeur créatrice de cette image-là diminue également, mais son efficacité érotique y gagne. Posséder la photographie de l'être désiré, c'est une grande satisfaction, mais faire soi-même cette photographie, « prendre » en photo (comme on « brûle en effigie ») le corps désiré, c'est encore mieux.

L'un des premiers à avoir découvert les ressources érotiques de la photographie fut le surnommé Lewis Carroll, alias révérend Charles Lutwidge Dodgson (1832-1898), professeur de mathématiques à l'université d'Oxford. Il publia son célèbre conte *Alice au pays des merveilles* (1865) entre un traité de géométrie euclidienne et un recueil de formules de trigonométrie plane. Ce mélange paradoxal de froide intelligence et d'imagination délirante définit le personnage. Son jardin secret, sa passion brûlante close sur elle-même, c'était la petite fille impubère (âge idéal : dix ans). Il disait, dans une formule qui résume assez bien son genre d'humour : « J'adore les enfants à l'exception des petits garçons. » A un ami qui lui demandait si ces éternelles bambines dont il s'entourait ne l'excédaient pas quelquefois, il répondit : « Elles sont les trois quarts de ma vie », mentant pudiquement sur ce quatrième quart qui leur appartenait bien entendu aussi. Toujours soucieux de nouvelles conquêtes, il se déplaçait rarement sans une mallette de jouets et de poupées destinés à affriander la petite fille de ses rêves au cas où il l'aurait rencontrée dans l'omnibus ou dans un jardin public. Il tenait salon au milieu d'une cour de petites amies dont les parents étaient absolument exclus. Thés, papotages, jeux, histoires fantastiques, jouets magnifiques, boîtes à musique faisaient passer le temps très vite. Mais il y avait aussi régulièrement une séance de photographie — rendue fastidieuse et fatigante par le matériel de l'époque — qui constituait en quelque sorte la prestation attendue par le grand ami de son harem miniature. Lui-même, d'une main tremblante de joie, déshabillait ses adulées pour les déguiser en mendiantes, en Turques, en Grecques, en Romaines, en Chinoises, et les plus aimées étaient envoyées à une amie, Miss Thomson, qui se chargeait de les photographier entièrement nues selon les instructions minutieuses du révérend. Inutile d'ajouter que ces clichés-là ont été détruits pieusement après la mort de l'écrivain... Au demeurant, il fallait la pudibonderie farouche de l'Angleterre victorienne pour que la passion de l'étrange célibataire pût ainsi se donner libre cours. Notre société soi-disant permissive crierait à coup sûr au scandale en pareil cas, et elle aurait bien tort, car il va de soi que les amours de Lewis Carroll avec ses petites filles étaient — et ne pouvaient être — que strictement platoniques.

Érotisme ? Certes, mais de l'espèce la plus haute, érotisme-amour, érotisme-passion, érotisme-tendresse qui engage toute la vie d'un homme de génie et se cristallise en une œuvre sublime.

Le portrait-nu

Elle m'avait écrit de Poitiers où elle vivait chez ses parents. Dix-neuf ans. Elle voulait faire un mémoire de maîtrise sur le thème de l'Ogre dans la littérature française. J'étais, pensait-elle, orfèvre en la matière. Accepterais-je de lui donner un rendez-vous ?

J'acceptai, je donnai. Bref, un beau matin d'avril, je fus la cueillir à la petite gare de mon village. Elle n'avait pas plus l'apparence ogresse que moi celle d'ogre. Sur une silhouette effacée par des vêtements « unisexe », un beau visage, aigu, presque coupant, sommaire, trop grave... j'allais écrire pour son âge, tant est forte l'habitude qui nous fait associer la jeunesse et l'insouciance, les vingt ans et la gourmandise en face de la vie. Comme si c'était facile et gai d'avoir vingt ans ! Les joues rondes et l'œil papillonnant, cela lui viendrait peut-être avec l'installation dans la vie, avec les certitudes rassurantes, les entours confortables. En attendant l'ogre ventru et repu, on est jeune loup dentu et griffu.

Elle prit connaissance de la maison, atelier d'écriture, forteresse de livres, grenier à images. Plus encore qu'à la table où s'étalent les lambeaux matriciels[1] du prochain roman, elle s'intéressa au laboratoire de tirage et de développement, et aux appareils de photo qui vont de l'antique chambre anglaise 4 × 5 Inch MPP au dernier cri de Minolta. Puis elle se pencha longuement sur les épreuves — portraits, paysages, nus — qui en sont sorties.

— Et si je vous photographiais ?

— Mais oui, pourquoi pas ?

— Je prépare les appareils et l'éclairage.

— Je vais me préparer moi-même dans la chambre à côté.

Décidément, oui, j'aimais ce visage si simple, composé de quelques méplats, ce regard ardent dont le mystère entièrement extraverti s'épuisait dans une attente de ce qui peut arriver — événements, choses, gens. Je déroulai le fond de papier blanc qui supprime toute espèce de « décor » et isole le sujet comme dans un champ de neige. Je branchai les deux spots de mille watts. Je choisis l'objectif Elmarit de 90 mm, incomparable pour les portraits.

— Vous êtes prêt ?

— Parfaitement.

Elle s'avança bravement sur la plage éblouissante de lumière qui s'offrait à ses pieds. Y avait-il eu malentendu ? Elle était nue comme Ève au Paradis. En disant « photo », j'avais pensé « portrait ». Elle avait compris « nu ». Mais il y avait une autre surprise : ce corps n'était pas — tant s'en faut — celui

---

1. « *Matrice* (synonyme : utérus) : viscère où a lieu la conception », dit le dictionnaire. A noter que la même définition conviendrait au cerveau, cet autre viscère où a lieu une autre conception.

qu'annonçait son visage : un corps plein de douceurs et de rondeurs, avenant, presque douillet, aussi féminin que possible. Ce n'était pas la première fois que je rencontrais cette contradiction entre les deux « étages » de l'être humain. J'avais découvert déjà des corps splendides de souplesse et de fraîcheur surmontés par un masque ravagé de vieillard, des têtes fines et sèches comme porcelaine fichées sur des outres boursouflées par la cellulite, un corps majestueux de matrone respirant la fécondité affublé d'un visage pointu de fillette farceuse et évaporée.

On comprend l'embarras du photographe quand on sait quel périlleux équilibre constitue dans une photo de nu l'harmonie nécessaire entre le visage — petite idole de l'âme — et le corps — incarnation solidaire de la terre —, quand on a vu les images d'une chair admirable détruites par la présence d'une bouche, d'un nez, de deux yeux qui ne s'accordent pas avec elle.

Que faire ? Instinctivement, je me cramponnais à mon projet de portrait. J'avais dit photo mais pensé portrait. Je n'acceptais pas d'en démordre. Je fis donc de mon Ève une série de portraits...

Je les ai à cette heure sous les yeux et je crois sincèrement avoir découvert grâce à eux quelque chose. Il y avait donc le portrait et la photo de nu. Je venais d'inventer le *portrait-nu.* Vous voulez faire le portrait-nu d'une femme, d'un homme, d'un enfant ? Faites déshabiller entièrement votre modèle. Puis prenez vos photos en cadrant le visage et lui seul. J'affirme que sur ces portraits la nudité invisible du modèle se lira comme à livre ouvert. Comment ? Pourquoi ? C'est à coup sûr un mystère.

Il s'agit d'une sorte de rayonnement venu d'en bas, d'une émanation corporelle agissant comme une sorte de filtre, comme si la chair dénudée faisait monter vers le visage une buée de chaleur et de couleur. On songe à ces horizons embrasés par la présence encore invisible du soleil sur le point de se lever. Cette réverbération charnelle est toujours enrichissante pour le portrait, même quand elle comporte une note de honte et de tristesse. Car on peut avoir la nudité mélancolique, comme certains ont le vin triste. Mais la dominante du portrait-nu, c'est plutôt une nuance particulière où il y a du courage, de la générosité, un air de fête aussi, car la nudité ainsi portée est à la fois gratuite et exceptionnelle, comme des étrennes. A l'inverse, sur le portrait ordinaire — visage nu, corps habillé —, on lit l'exil du visage, seul vivant au sommet d'un mannequin de vêtements, l'angoisse de sa solitude, coupé du corps par la cravate et le col de la chemise. On dirait que ce grand animal chaud, fragile et familier — notre corps — que nous enfermons le jour dans une prison de vêtements, la nuit dans un cocon de draps, enfin lâché dans l'air et la lumière, nous entoure d'une présence joyeuse et naïve qui se reflète jusque dans nos yeux.

C'est ce reflet que le portrait-nu saisit et isole dans le visage qu'il illumine.

S. S. Sukhy

Les folles amours

Longtemps les naturalistes se sont interrogés sur le mode de fécondation des batraciens. Ils voyaient bien la grenouille mâle chevaucher la femelle et s'agripper durement de ses petites mains à son ventre, la pénétration du sperme demeurait énigmatique. Il fallut attendre la fin du XVIIIe siècle et un prêtre italien, Lazzaro Spallanzani, pour que le mystère se trouvât éclairci. Il convenait d'abord de mettre hors de cause les mains du mâle que l'on voyait masser vigoureusement l'abdomen de la femelle, au point qu'on en arrivait à se demander si le sperme ne sourdait pas au bout de chaque doigt. Spallanzani confectionna des gants minuscules à l'intention de ses bestioles. Les grenouilles mâles dûment gantées devenant papa aussi bien que celles qui travaillaient à mains nues, il fallait chercher ailleurs. Le mérite de Spallanzani fut de démontrer que le mâle accouchait bien la femelle par le mouvement mécanique de ses bras, mais qu'il inondait de semence les œufs au moment de leur expulsion. En somme, cette fécondation se situe très harmonieusement à mi-chemin entre l'injection du sperme *in utero* pratiquée par les mammifères et l'ensemencement exécuté par certains poissons qui recouvrent de laitance les œufs abandonnés par la femelle au fond de l'eau.

Dans l'ordre des divers modes de reproduction, la nature manifeste une inventivité véritablement confondante. Pour rester chez les poissons, l'épinoche construit un nid très comparable à celui des oiseaux en assemblant des fragments d'algues à l'aide d'un fil visqueux qu'elle tire de son orifice urinaire.

D'autres — de la famille des osphronémidés — font des nids d'écume, entièrement composés de bulles d'air, technique d'une rare élégance.

La femelle du cératias — poisson des grandes profondeurs — porte soudés à ses flancs deux ou trois mâles cent fois plus petits qu'elle. Le parasitisme de ces mini-maris est total : fixés au corps de la femelle par leur orifice buccal, ils entretiennent une communication directe entre les deux systèmes circulatoires, faisant en quelque sorte sang commun. Rapidement leur tube digestif, leurs dents, leurs branchies et leur cœur s'atrophient et disparaissent. Le seul organe qui subsiste est un énorme testicule, leur unique raison d'être.

Les animaux hermaphrodites — conçus pour se reproduire seuls — n'en rêvent pas moins d'amours partagées et se donnent parfois beaucoup de mal — comme les oursins — pour réaliser des accouplements que la nature, visiblement, n'a pas prévus. Plus subtils encore, les escargots — eux aussi hermaphrodites — jouent les mâles pendant la première partie de leur vie pour adopter sur le tard le rôle moins fatigant de femelles.

On a longtemps cru que c'était par gloutonnerie

que la mante religieuse dévorait son mâle au cours de l'accouplement. On a récemment découvert qu'il n'en était rien. La vérité, c'est que le cerveau du mâle exerce une action inhibitrice sur l'éjaculation du sperme. Si elle veut être fécondée, la femelle n'a donc pour ressource que de broyer entre ses dents la boîte crânienne du malheureux inhibé qui éjacule alors en toute liberté. Un traitement à coup sûr radical de l'impuissance sexuelle.

En regard de tant d'exubérance inventive, les mammifères font figure de tristes benêts. Qu'un éléphant manifeste du goût pour les rhinocéros, et sa photo fera aussitôt l'admiration de tous. Ne parlons même pas des humains murés dans leurs étroits rituels nuptiaux. En dehors de la pilule et de l'avortement, toute fantaisie érotique est à leurs yeux abominable perversion. Comme l'écrivait un écolier : « Les lapins sont d'excellents pères de famille. Ils s'arrachent des poils du ventre pour confectionner un nid à leurs petits. Bien peu d'hommes en feraient autant. »

L'image abîmée

Abîme. Du grec *abussos,* dont on a tiré aussi *abysse.* Textuellement : qui n'a pas de fond. On commet donc un contresens en parlant du « fond de l'abîme » et un pléonasme en évoquant un « abîme sans fond ».

Mais il y a des cas où seule manque une partie du fond, comme si un trou s'était formé quelque part, un trou sans fond justement. C'est le cas dans une image à l'intérieur de laquelle se trouve reproduite cette même image. Il s'agit littéralement d'une image en partie *abîmée.* Tout le monde se souvient de la Vache-qui-rit dessinée par Benjamin Rabier pour une marque de fromage. Cette vache porte en pendants d'oreilles deux boîtes de fromage de cette marque sur lesquelles est naturellement reproduite la même vache avec ses pendants d'oreilles, etc. Cette image de marque offre ainsi à l'œil une surface saine et solide, à l'exception de deux petites fondrières — les pendants d'oreilles — où le regard s'enfonce, perd pied, se trouve pris au piège d'un processus infini qui n'est freiné que par le rétrécissement que subit l'image à chaque étape.

Arthur Tress

Ce rétrécissement est d'une importance majeure, car lui seul met un terme à la fuite vertigineuse dans laquelle nous précipite l'image abîmée. Il est opérant même dans le cas de l'abîme le plus élémentaire et le plus formel, celui instauré par deux miroirs placés exactement face à face et reflétant chacun le vide de l'autre porté à une puissance incalculable. En somme, il apporte un minimum de matière dans une construction qui sans lui resterait purement formelle.

Le formel pur est stérile et sans intérêt. Telles sont les mathématiques, jongleries de symboles abstraits. La valeur de la forme commence lorsqu'un peu de matière la leste et la gauchit. Dans sa forme primaire, l'image abîmée ne nous apprend rien. Mais si une vieille femme est figurée tenant à la main, bien en vue, une photo d'elle-même à vingt ans, alors un abîme s'ouvre sous l'œil de l'observateur. Abîme d'un genre particulier, impur certes, mais d'autant plus efficace : *abîme de temps,* car le demi-siècle qui sépare ces deux visages saute aux yeux, lourdement aggravé par la sereine mélancolie de la vieillarde qui nous prend à témoin du ravage des ans.

Arthur Tress se plaît à des constructions plus subtiles et non moins efficaces. Une jeune femme joue avec un chien. Au premier plan, une photo nous montre une petite fille embrassant une vieille femme. Entre ces deux couples — l'image et l'image de l'image — les fils et les pistes s'embrouillent. L'esprit se perd en troublantes hypothèses. Veut-on nous dire que, la grand-mère morte, sa petite-fille devenue adulte n'a trouvé d'épanouissement que dans la compagnie d'un chien ? Je connais Arthur Tress. Ses intentions sont rarement aussi limpides...

Jean-Philippe Charbonnier

Douceurs et colères
des éléments

L'homme forme avec la nature un très vieux couple, indissolublement uni, bien qu'assez orageux. Au commencement, l'homme démuni de tout, menacé de toutes parts, n'était que le plus faible et le moins adapté des animaux. C'est que sa vocation — ce qui le distingue parmi les autres vivants — consiste à adapter la nature à ses besoins au lieu de s'adapter à elle. Contre le froid l'animal a sa fourrure. L'homme construit sa maison et la dote d'un chauffage. Il crée ainsi un minuscule microclimat où il s'épanouit de bien-être.

Mais à mesure que sa puissance augmente et conjure la menace des éléments naturels, une nostalgie immémoriale lui fait regretter les temps héroïques de sa nudité et de sa faiblesse. A force de s'entourer de décors et de nourritures artificiels, il lui vient une nausée de l'humain, et il se prend à rêver d'intempéries et de météores qui sont comme autant d'incursions du ciel dans sa vie. Certains sports — que l'on pourrait qualifier d'*élémentaires* — n'ont pas d'autre raison d'être. La nage en mer et le voilier, le ski, l'alpinisme, le vol à voile nous retrempent aux sources originelles de notre histoire, voire de notre préhistoire, et il n'est pas jusqu'à l'équitation qui nous restitue le chaud contact de l'animal hors duquel nos ancêtres n'auraient pu survivre.

Les éléments sont tous nourriciers. La terre donne ses récoltes et ses minerais, la mer ses poissons, le feu cuit la soupe, et l'air emplit nos poumons.

Mais ces rassurantes fonctions pèsent de peu de poids en regard des forces colossales qu'ils peuvent déchaîner. Il y a dans l'orage ou la tempête une majesté cosmique doublée d'une inaltérable innocence qui leur donne une dimension sacrée. Les « héros élémentaires » de notre temps — Éric Tabarly, Paul-Émile Victor, Haroun Tazieff — font figure d'intercesseurs entre le commun des hommes, parmi lesquels ils ont un pied, et l'empire redoutable des mers, des glaces ou des volcans où ils ont l'autre pied. Et que dire du spéléologue Michel Siffre qui s'engloutit des semaines entières dans la nuit des gouffres, réalisant ainsi une expérience effrayante d'inhumation vivante ? En le voyant s'exhumer, tremblant et pleurant d'émotion et de fatigue, je pensais à Lazare sortant de son tombeau, et aussi à une racine végétale, parce qu'elle est le symbole à la fois de la vie et de la mort.

Cette dimension métaphysique des forces élémentaires prend une signification vengeresse dans leur déchaînement brutal. Le Déluge universel, le feu de Sodome et Gomorrhe, les plaies d'Égypte manifestèrent le bras d'un Dieu courroucé par la mauvaiseté des hommes. Cette signification n'est pas perdue. Lorsque, le 14 avril 1912, le steamer *Titanic*, heurté par un iceberg, coula avec quinze cents personnes, il se trouva des penseurs prophétiques pour célébrer cette salutaire revanche de la nature bafouée contre l'homme. Quelques années auparavant, le 4 mai 1897, l'incendie du *Bazar de la Charité*, où périrent nombre de femmes de la haute société, avait été salué comme un miracle par Léon Bloy, l'homme « qui proférait l'absolu dans un clairon d'or ».

Ce mot de Bazar accolé à celui de Charité ! Le Nom terrible et brûlant de Dieu réduit à la condition de génitif de cet immonde vocable ! ! ! Tant que le Nonce du Pape n'avait pas donné sa bénédiction aux belles toilettes, les délicates et voluptueuses carcasses que couvraient ces belles toilettes ne pouvaient *pas prendre la forme noire et horrible de leurs âmes. Jusqu'à ce moment, il n'y avait aucun danger.*

Mais la bénédiction indiciblement sacrilège de celui qui représentait le Vicaire de Jésus-Christ, et par conséquent Jésus-Christ lui-même, a été où elle va toujours, c'est-à-dire au Feu, qui est l'habitacle rugissant et vagabond de l'Esprit-Saint !

Alors, immédiatement, le FEU *à été déchaîné, et* TOUT EST RENTRÉ DANS L'ORDRE.

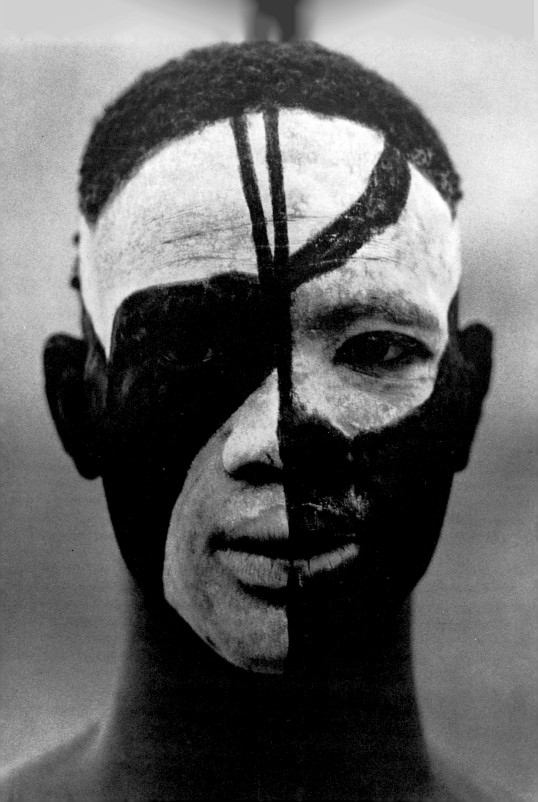

Les dieux des steppes

Leni Riefenstahl. Un nom qui rappelle quelque chose. *Les Dieux du stade,* un film sur les Jeux Olympiques de 1936, classé en 1956 aux États-Unis parmi les dix meilleurs films du monde. C'était elle. A cette époque, un petit jeune homme chargé de superviser la version française des films allemands apprit beaucoup auprès d'elle. Il s'appelait Henri-Georges Clouzot. C'est maintenant une vieille dame qui pourrait prendre le thé sous les tilleuls en évoquant ses souvenirs. Au lieu de quoi, elle sillonne l'Afrique centrale en camion tout-terrain, affrontant la chaleur, les moustiques, les serpents, et trouve la force de repartir après un accident qui l'a laissée en pleine brousse avec des côtes brisées, une lésion au poumon et une fracture du crâne.

Qu'est-ce qui fait donc courir ainsi Leni Riefenstahl? La même chose qu'en 1936, pourrait-on dire. La célébration du corps humain, sa beauté, sa force surtout, sa beauté-force. Très peu pour elle les grâces mignardes des demoiselles de David Hamilton. Le coup de foudre pour l'Afrique, elle l'a reçu en voyant dans *Stern* une photo prise par l'Anglais George

Rodger : deux lutteurs nouba, le vainqueur porté en triomphe sur les épaules d'un autre géant. L'énergie qui rayonne de ces deux colosses superposés se teinte d'innocence, d'humour, d'érotisme animal, mélange irrésistible. Leni n'a pas résisté. Elle a fait sa valise.

Des nombreux voyages qu'elle a effectués en dix ans dans les monts Nouba du Soudan central, il faut retenir deux expériences successives. En 1969, elle découvre les Nouba Masakin Qisar qui vivent dans le sud du Kordofan et sont environ dix mille. Elle apprend leur langue et retourne tous les deux ans passer auprès d'eux les six à sept mois de la saison sèche. Après les récoltes, lorsque les hommes jouissent d'un certain répit, ils s'adonnent à des tournois de lutte au corps à corps qui sont l'occasion de fêtes brillantes. A chacune de ses visites, elle a le sentiment de plonger dans un monde heureux, parfaitement équilibré, une sorte de paradis.

Cinq ans d'interruption dans ses visites. En janvier 1974, elle revient avec à la main un premier livre qui est un hymne en images aux Nouba Masakin. Affreuse déception ! Le bulldozer de la « civilisation » a tout écrasé. Les jeunes sont allés chercher fortune à Khartoum. Ils en sont revenus tout à fait « déniaisés », c'est-à-dire en rapportant la pudibonderie, le sens de l'argent... et les premiers cas de syphilis. Le beau livre ne suscite que haussements d'épaules et ricanements gênés. Il faut repartir, aller plus loin.

A deux cents kilomètres plus au sud, Leni Riefenstahl découvre une autre tribu nouba — il y en a au total une centaine —, les Nouba de Kau. Bien différents des Masakin, ils sont farouches, agressifs, difficiles à approcher, plus encore à photographier.

Leur sport national n'est pas la lutte inoffensive, mais un combat sanglant dont l'arme est un lourd bracelet de bronze coupant comme un fer de hache. Or la rencontre de Leni Riefenstahl avec ses deux tribus ressemble à un merveilleux ajustement du destin : après les dieux du stade de 1936, les dieux des steppes. Au demeurant, l'exaltation qu'elle éprouve à photographier ces colosses nus, à en croire ses propres déclarations, ne peut se comparer qu'à celle de Lewis Carroll mettant en boîte ses adorables fillettes. Rapprochement paradoxal mais flatteur pour la photographe allemande, et qui renvoie à l'analogie profonde et subtile existant entre l'acte photographique et l'acte sexuel.

Le travail de Leni Riefenstahl a une valeur ethnographique considérable et, par cela même, une portée humaine universelle. De quoi s'agit-il en effet ? D'une certaine relation de l'homme avec son propre corps, d'un culte rendu par l'homme à son propre corps, selon deux versions différentes, la version masakin et la version kau.

Les Masakin paraissent vivre intensément l'intégration de leur corps à leur environnement matériel. C'est le sens même de leur nudité intégrale, car le vêtement ne fait que consacrer le divorce entre le corps et la nature. La nudité masakin manifeste une profonde consubstantialité de la chair et de la terre. Le corps masakin ressemble à une poterie. Il en a la dureté, la sécheresse, la densité. Le crâne lisse est galet. Racines puissantes, les muscles. Fruits, les seins des femmes, le sexe des hommes. Pour les grandes occasions — les tournois par exemple —, le Masakin se frotte des pieds aux cheveux avec de la cendre

blanche comme neige, qui donne sur la peau anthracite un gris bleuté très fin. Encore plus sec et poudreux après ce traitement, il devient grande statue de pierre ponce dans laquelle la force se mêle étrangement à la fragilité.

Plus riche encore est la démarche kau. Cette tribu cultive au suprême degré l'art du tatouage et de la peinture faciale. Ils sculptent leur propre chair de scarifications d'une cruauté insoutenable. Ils se fardent avec de la poudre de charbon, des coquillages pulvérisés, des terres riches en oxyde de fer.

Cet art corporel nous invite à réfléchir sur la relation du signe et du corps humain dont il émane forcément. Cette relation tend à se distendre de plus en plus à mesure que progresse notre civilisation. L'ordinateur paraît avoir totalement oublié l'homme qui l'a nourri en informations. Le signe se détache de sa source corporelle par la parole et par l'écriture. Par la parole, il vole dans l'espace. Par l'écriture, il traverse en outre le temps. En approfondissant cette double voie, Marcel Jousse, dans son *Anthropologie du geste,* distinguait deux sources de la civilisation occidentale, la source grecque de nature visuelle et statique, aboutissant au signe abstrait écrit, et l'inspiration palestinienne, purement orale, mettant en jeu non seulement la voix, mais tout le corps, parce que ce discours n'est autre que la vérité mimée du cosmos. L'enseignement à l'origine purement oral des Évangiles devait être reçu par l'enseigné comme une invitation à entrer dans une danse et à y participer de tout son être.

Mais pour revivifié et réincarné que soit le signe dans cette intuition de Marcel Jousse, il est cependant appelé à quitter le corps de l'enseigneur et à le laisser derrière lui, comme une dépouille non signifiante. C'est le sens de la Passion du Christ. Le corps de l'enseigneur ayant délivré son message, vidé de son contenu de vérité, peut être dégradé, privé de ses vêtements et des attributs de sa dignité, couvert d'oripeaux dérisoires, d'injures et de crachats. Le corps du Christ, déserté par la Parole au profit du Saint-Esprit et des apôtres, est couvert de plaies non parlantes, de scarifications dépourvues de toute valeur calligraphique.

Une civilisation analphabète du signe tatoué, comme celle des Nouba Kau, se situe à un stade plus primitif que la dichotomie de l'Hébreu mimeur et du Grec visuel. Le Nouba fait de son corps un grimoire. Il s'identifie à son propre chef-d'œuvre pictural et sculptural. Ici le verbe s'intègre totalement à la chair. Chaque corps est un poème muet et non écrit. C'est là sans doute le sens profond de ce paradis que Leni Riefenstahl a découvert dans les montagnes du Soudan.

Edouard Boubat

L'espace canadien

En septembre 1972, j'ai effectué la traversée du Canada, de l'île de la Madeleine à Vancouver. En avril 1974, j'ai sillonné le Japon en zigzag. Ces deux voyages — faits en compagnie d'Édouard Boubat — étaient pour moi complémentaires, parce que j'étais alors occupé à écrire un roman [1] dont le thème central est l'*espace*. Espace plein, espace vide, riche ou pauvre, concret ou abstrait, vécu par des jumeaux vrais, unis, puis séparés, puis veufs l'un de l'autre. Or si le Japonais étouffe dans un espace trop plein, trop chargé de signes et de ramifications, s'il souffre de claustrophobie de mille façons — et notamment par sa curieuse passion pour le golf, passion malheureuse parce que le pays ne peut pas, sauf rarissimes exceptions, posséder de terrains de golf —, à l'inverse le Canadien titube de vertige dans des espaces immenses qu'il cherche vainement à peupler. Le Japonais a soif d'espace et invente des structures propres à donner un statut infini à des espaces en fait extrêmement réduits. Ce sont les jardins zen, les

1. *Les Météores* (Gallimard).

Edouard Boubat

jardins de thé, et surtout les jardins miniatures en pot,
ou encore l'ikebana, l'art de composer des bouquets
de fleurs. Les Canadiens, après avoir dressé les
pylônes électriques qui jalonnent l'immensité du
pays, ou les gratte-ciel qui la dominent, obéissent à un
mouvement de retrait, de recroquevillement, voire
d'inhumation (les grandes villes canadiennes sont plus
riches qu'aucune autre en galeries et passages souter-
rains). Ce vide canadien, les images de Boubat
l'illustrent de façon saisissante. Telle cette vue des
buildings de Vancouver peuplée par la seule minuscule silhouette d'un sportif courageux. Tel ce petit
joueur de pipeau que nous avons surpris à Québec,
seul avec sa propre musique, au fond d'un parking
souterrain. Celui-là, point n'était besoin de lui
demander la permission de le photographier. Nous

Edouard Boubat

n'existions pas pour lui. Tel surtout ce jeune dormeur enfoncé la tête la première dans l'une de ces grosses souches ensablées qui tiennent lieu de rochers sur la plage de Vancouver. Certes, l'un des traits les plus constants de la psychologie canadienne est une certaine façon de dire non à l'espace extérieur. Plus subtilement, Boubat trouva l'occasion de jouer en grand virtuose avec les notions d'intérieur et d'extérieur dans un drugstore d'Ottawa. Nous venions de manger au bar un de ces énormes sandwichs américains, épais et stratifiés comme une coupe de terrain géologique. Nous vîmes survenir un enfant à bicyclette, suivi par son chien. La bicyclette et le chien furent laissés dehors. L'enfant entra et acheta deux cornets de glace. Puis il ressortit, s'assit par terre et commença à manger sa glace, tout en faisant manger

139

Edouard Boubat

l'autre par son chien. La scène était ravissante, pittoresque à souhait, faite tout exprès pour ravir un public friand d'anecdotes amusantes et touchantes. Boubat se garda de faire la photographie qui s'imposait avec tant d'indiscrète évidence. Il se servit de cette petite scène pour illustrer une fois de plus une certaine forme de vide, d'absence, de désolation humaine : au premier plan une coupe sale près d'un cendrier, à gauche un chevelu plongé dans un vaste gobelet — sans regard, sans vraie présence —, à droite un casque abandonné de motard, et seulement en marge, comme une vignette tendre et triste, dehors, vu à travers la vitre, l'enfant seul aussi avec son chien...

Tel est le Canada du point de vue canadien. Mais il est peut-être temps de nous souvenir que nous sommes français, et de parler du Canada vu de France.

Avant d'être une réalité, le Canada a été longtemps pour moi un rêve, et je ne suis pas le seul Français dans ce cas. Confinés en cette petite Europe vieillotte et mesquine, nous avons tous soif de vastes espaces pour déployer les ailes de notre imagination. L'Allemagne a été longtemps possédée par son *Drang nach Osten* auquel ses Chevaliers teutoniques obéirent en conquérant la Prusse-Orientale. Pour l'Espagne et le Portugal, ce fut le continent sud-américain qui joua ce rôle de grenier à rêves. L'Angleterre eut les Indes fabuleuses, célébrées par nombre de poètes et romanciers comme Kipling ou Forster. Quant aux U.S.A., le Far West a suffi pendant un siècle à nourrir leur épopée nationale.

Le lointain merveilleux de la France s'est semble-t-il, divisé en deux. C'est du moins mon expérience personnelle. On ne peut évidemment oublier le Sahara. Pour plusieurs générations, le grand désert africain fut le vide-à-rêver où elles projetèrent la mystique du père de Foucauld et d'Ernest Psichari, les aventures belliqueuses de l'Escadron blanc et de la Légion étrangère, les couleurs poétiques dont s'enrichirent Fromentin, Daudet, Maupassant, Flaubert, Eberhard, et surtout Gide, sans oublier l'*Antinéa* de Pierre Benoit.

Mais si le Sahara fut — et reste en partie — le terrain privilégié des rêves des adolescents, pour l'enfant français c'est le Canada qui est la source d'une poésie inépuisable et combien rafraîchissante. La forêt, la neige, les lacs, une faune admirable et fabuleuse qui mêle l'élan et le loup, le castor et le grizzli composent pour le jeune Français le paysage d'un certain commencement ou recommencement. Paradis terrestre, oui, mais non par ses fleurs, ses fruits, son climat mol et délicieux. Paradis terrestre, parce que première terre habitée par le premier homme. Terre vierge, et nous voilà revenus par le détour de l'imaginaire à l'espace canadien vide dont il était question tout à l'heure. Le trappeur dans sa cabane de rondins avec son fusil, ses pièges et sa poêle à frire, subvenant seul à tous ses besoins, durement, dangereusement, tel est l'Adam originel, patient, ingénieux et athlétique dont nous rêvions de préférence à celui de la Bible déjà encombré d'un père autoritaire, Jéhovah, d'un oncle séduisant mais dangereux, le Serpent, d'une épouse geignarde. A quoi s'ajoute qu'on ne naît pas trappeur — les trappeurs naissent à Londres, à Paris, à Berlin — mais qu'on le devient sur un coup de tête libérateur, en envoyant promener la civilisation, ses flics et ses curés, et en prenant le premier bateau pour Montréal.

Je ne craindrai pas de conclure par une sorte de jeu de mots, car je crois en la profondeur voilée de drôlerie du calembour. Sahara-Canada. Ces deux mots de six lettres dont trois *a* placés aux mêmes points sont d'une saisissante analogie. Cette affinité littérale correspond à des surfaces immenses et du même ordre (7,3 millions de kilomètres carrés pour le Sahara; 9,3 millions pour le Canada) et à des climats absolument opposés. Cela fait songer à des notions à la fois complémentaires et antithétiques, comme le *yin* et le *yang* de la pensée chinoise dont la synthèse est le *tao,* principe d'ordre universel.

Mais quelle serait la synthèse du Canada et du Sahara ?

Phelps

La vie plane

L'opticien reposa son ophtalmoscope et dit en guettant avec une curiosité évidente l'effet de ses paroles sur moi :

— Eh bien voilà ! C'est très simple, vous êtes borgne.

— Borgne, moi ? Mais j'ai deux yeux, et je vois des deux yeux !

— Sans doute vous voyez des deux yeux, mais jamais des deux yeux *en même temps.* Vous êtes myope de l'œil droit, hypermétrope du gauche. Et ces faiblesses sont telles que vos yeux se relaient exactement. Supposez un objet placé à vingt centimètres de votre visage.

Il prit sur la table un petit cadre sur lequel étaient inscrites des lettres.

— Vous le voyez parfaitement. De votre œil droit seulement. L'objet est beaucoup trop près pour votre œil gauche qui, pendant ce temps, se repose. J'éloigne l'objet. Le voilà à cinquante centimètres. Votre œil droit commence à peiner. Mais votre œil gauche — l'hypermétrope — se réveille. Encore dix centimètres, c'est fait. L'œil droit abandonne et passe le témoin à son voisin, qui le relaie si fidèlement que vous ne vous êtes aperçu de rien.

— Admirable ! Comme je suis perfectionné ! Comme mes yeux sont intelligents ! C'est vrai, puisqu'on a deux yeux, pourquoi ne pas les spécialiser et diviser leur travail ?

— Ne triomphez pas trop, dit l'opticien. Tout va bien, en effet, à condition que vous n'attachiez aucun prix à la perception du relief.

— Parce que je ne perçois pas le relief ?

— Évidemment non. Pour percevoir le relief, il faut voir en même temps des deux yeux. C'est le léger décalage des deux images — semblables mais pas identiques — qui donne l'impression du relief.

— Je vis donc dans un monde à deux dimensions seulement ?

— Oui, vous voyez le monde à plat. Il y a pour vous de la droite et de la gauche, du haut et du bas, mais de profondeur, point. C'est la vision du borgne.

— Étonnante révélation ! Alors que faire ?

— Je vais vous fabriquer des lunettes grâce auxquelles vous verrez des deux yeux à la fois, promit l'opticien.

Trois jours plus tard, je ressortais de son magasin avec au visage cet objet qui devait imposer une saine coopération à mes yeux. Je dus tout de suite m'effacer pour laisser entrer une dame. Une dame ? Un nez, devrais-je dire, un nez avec une dame derrière. Car de ma vie je n'avais vu un nez pareil. Immense, interminable, pointu, dardé vers moi comme un bec de cigogne.

Puis ce fut la rue. La rue ? La ruée bien plutôt, l'enfer. Un hérissement de crocs, une levée de sabres,

146

un déploiement de lances, une charge de taureaux furieux. Les voitures se précipitaient sur moi comme une meute enragée, les passants bondissaient dans ma direction pour m'éviter de justesse au dernier moment. Les objets me sautaient au visage comme des cobras. J'étais le point de mire d'une haine généralisée, universelle, partout manifeste.

Enfin j'accomplis le geste sauveur. Les lunettes repliées disparurent dans ma poche. Ô douceur, ô printemps ! Les passants et les voitures glissaient sans relief, comme des ombres sur une toile. Les immeubles se dessinaient sur un même plan en un inoffensif décor. Les femmes, redevenues tendres et avenantes, évoluaient sur la page d'un magazine de mode. Je découvris ainsi le secret de quatre gestes humains universels et antithétiques. D'abord la main plate tendue pour une poignée de main amicale qui s'oppose au poing serré en boule, prêt à frapper ou pour le moins à maudire. Mais surtout le sourire qui est de tous les gestes le plus plan, celui qui s'accommode le mieux de deux dimensions : la bouche se fend en largeur, les yeux se plissent. C'est l'épanouissement de la vie plate. L'enfant le sait bien qui tire la langue, au contraire, pour retrouver la troisième dimension dans une grimace qui est l'opposé du sourire.

Francis Bacon et Raoul Dufy. Les lunettes m'avaient plongé dans l'univers exorbitant, agressif, tire-bouchonnant de Bacon. En les retirant, j'avais retrouvé les gracieux ramages, les motifs chantants, les oiseaux sans épaisseur d'une toile de Dufy.

La solitude
des grands hommes

Le portrait photographique suppose une relation particulière, une sorte de complicité entre le photographié et le photographe. Il faut que cette relation existe. Un portrait fait au téléobjectif à l'insu de l'intéressé est inconcevable. Mais il ne faut pas qu'elle soit excessive. Certains photographes répugnent à faire le portrait de leur femme et de leurs enfants. Ils laissent ce domaine aux amateurs.

Le photographe canadien d'origine arménienne Yousuf Karsh ajoute une difficulté au problème du portrait en se faisant une spécialité des grands hommes. Depuis trente ans, on se demande quel est le pape, le chef d'État, le pianiste célèbre ou le Nobel de littérature qu'il n'a pas « opéré », expression qu'il affectionne, car il se compare volontiers à une sorte de chirurgien.

Qu'est-ce que la célébrité ? On peut en donner une définition presque mathématique en disant que l'homme célèbre est celui qui est connu de plus de gens qu'il n'en connaît lui-même. A la limite, le comble de la célébrité, ce serait d'être connu de tout le monde sans connaître personne. Peut-être venons-nous de formuler là une nouvelle définition de Dieu ?

Mais être connu sans connaître soi-même, c'est entretenir avec autrui des relations bizarres, déséquilibrées, d'un certain point de vue très désavantageuses. Un écrivain connu pourrait dire à l'un de ses lecteurs anonymes : « Ayant lu tous mes livres, vous savez tout de moi. Et moi en échange, que sais-je de vous ? Rien. Vous me cernez, vous me dominez, vous me possédez. » Ces réflexions ne sont pas sans fondement. Quiconque a publié une œuvre littéraire — littéraire, c'est-à-dire où il se livre — s'est senti devenir ventre mou étalé sous les pieds de la foule...

Mais revenons aux portraits de Yousuf Karsh. Ces portraits sont faits sous un vaste déploiement d'éclairages artificiels et à l'aide d'une chambre grand format — très grand format, 8 × 10 inches exactement —, détails qui ont leur importance. Karsh est le contraire d'un reporter. Il ne songe pas à photographier l'homme célèbre dans son milieu naturel, le bain de foule ou la tribune parlementaire, par exemple. L'une des caractéristiques de la chambre grand format, c'est l'étroitesse de sa profondeur de champ. L'homme ainsi photographié est coupé de son milieu, isolé comme un îlot parfaitement net au milieu d'un océan de flou. Son image est découpée, arrachée. Bref, la solitude paraît être le thème commun à tous les portraits faits de la sorte.

Une autre caractéristique de la chambre grand format, c'est la perfection avec laquelle elle traite les matières, les natures mortes, l'aspect des substances diverses. Son triomphe, c'est le bois, le sable, la pierre. Avec elle la chair devient imputrescible, éternelle, divine. C'est l'un des secrets d'Edward

Weston, l'un des grands ancêtres de la photographie d'aujourd'hui, dont les formats dépassaient encore ceux de Karsh. Or remarquez ceci : le visage des hommes publics est comme usé, sali, empoussiéré par le regard de la foule, les spots, les flashes, les caricaturistes. Les hommes de télévision notamment qui paraissent quotidiennement sur le petit écran ont — je m'excuse à l'avance auprès d'eux, ce n'est pas leur faute —, ils ont, oui, des visages pourris. Ils subissent à la face une détérioration professionnelle comparable à celle que subissent les poumons des ouvriers carriers. C'est d'ailleurs le charme des jeux télévisuels : on voit paraître tout à coup sur le petit écran le visage d'un concurrent, un visage inconnu, un visage frais, sorti à l'instant de l'anonymat, de l'obscurité, comme un poisson d'une rivière.

Donc la notoriété tue les visages. A ces visages morts, Yousuf Karsh, avec sa 8 × 10, rend une sorte de vie. Mais pas une vie ordinaire, une vie éternelle. Sa chambre 8 × 10 est en vérité une antichambre : celle de l'éternité. Au sortir de cette antichambre, son œuvre se divise en deux courants. L'un se fige en marbre, en bronze. Il aboutit normalement au timbre-poste, voire à la monnaie auxquels des photos de Karsh ont souvent servi de point de départ. L'autre courant s'engouffre dans l'esprit des hommes. Et là, il se passe quelque chose d'extraordinaire. Des millions d'hommes ont dans l'esprit le visage de Churchill, d'Einstein, d'Hemingway. Ils ne savent pas que ces images intérieures sont signées Karsh.

Karsh est le grand pourvoyeur de notre panthéon intime. Il fait de notre mémoire un grenier encombré de bustes.

Veruschka

C'est l'avatar de l'Éternel féminin le plus fou et le plus cruel que l'Occident ait jamais produit. Son corps immense et décharné se couronne d'une petite tête parfaitement belle, au crâne rasé, au regard noyé de tristesse. Il y a en elle du mannequin de cire et de la reine Cléopâtre tout juste sortie de ses bandelettes. On l'a vue entièrement nue et peinturlurée des pieds à l'occiput. Nouée en liane verte autour d'un tronc. Sur une grève, le photographe a pris en gros plan un tapis de galets ronds : l'un d'eux est la tête de Veruschka qui semble dormir, les yeux baissés...

Ce n'est pas un hasard si cette créature fantastique est issue directement des circonstances historiques les plus dramatiques.

20 juillet 1944. A douze heures quarante-deux, une bombe explose dans la salle de conférence de la « Brèche-au-Loup », à Rastenburg (Prusse-Orientale), où Hitler examine avec son état-major la carte du front. Le Führer n'est que légèrement blessé. S'il avait été tué, tout était prêt pour qu'un groupe d'officiers antinazis prennent le pouvoir et demandent la paix.

La répression est féroce. Le nombre des arrestations dépasse sept mille, celui des exécutions approche cinq mille, dont trois maréchaux : Witzleben, Kluge et Rommel.

Sans avoir été l'une des vedettes du complot, le comte Heinrich von Lehndorff est l'un des représentants les plus exemplaires de l'aristocartie est-prussienne, viscéralement antinazie, et qui frappa le IIIe Reich à sa tête dès que les circonstances s'y prêtèrent.

Il était né traditionnellement homme de cheval — son oncle avait dirigé les célèbres haras impériaux de Trakehnen — et gentilhomme terrien, héritier des quelque six mille hectares du domaine de Steinort, sur le grand lac Mauer. Le domaine appartenait aux Lehndorff depuis 1400. La vaste et somptueuse demeure baroque fut élevée en 1689 par une comtesse Marie-Éléonore qui consigna scrupuleusement les détails de l'entreprise, de telle sorte qu'on connaît encore le prix de chaque serrure, le métrage des tapisseries, le nom du stucateur qui modela les plafonds. Les allées du parc plantées de chênes plusieurs fois centenaires descendaient vers les roseaux du lac où veillaient les cygnes noirs et d'où montait en automne l'appel des macreuses et des pluviers. Un petit pavillon romantique et délabré portait encore l'inscription d'un mystérieux madrigal en vers français :

> *Si j'eusse été le jour de ta naissance*
> *Chargé de te donner un nom*
> *Et que de l'avenir la connaissance*

M'eût été conférée par le dieu Apollon
De peindre au vif ton âme et ton regard,
Ton nom sans hésiter aurait été Bayard.

On ne saurait être géographiquement et morale-
ment plus éloigné des brasseries de Munich, pleines
de fumée et de vociférations, où fermenta le mouvement nazi. Mais l'ironie du sort est inépuisable. Elle
voulut que Steinort se trouve à une vingtaine de
kilomètres de Rastenburg où Hitler s'installa dès juin
1941. Aussitôt Ribbentrop, alors ministre des Affai-
res étrangères, réquisitionna la moitié du château
pour y résider avec sa suite, de telle sorte que la
famille Lehndorff se trouva malgré elle au cœur du
système nerveux nazi, environnée de hauts dignitaires
et d'agents de la Gestapo.

Prévenu la veille de l'attentat, Heinrich von
Lehndorff quitta Steinort, revêtit en route son
uniforme et se rendit à Königsberg dont il devait
assurer le gouvernement militaire au nom des insur-
gés. C'est là qu'il apprit l'échec de l'attentat au terme
d'une journée de mortelle attente. Désespéré, il
revint en voiture à proximité de Steinort où il rentra
en civil et à cheval, comme s'il revenait d'une
inspection de routine. Mais il était dépourvu d'illu-
sions. Que faire ? Rester, c'était l'arrestation certaine. Fuir, c'était laisser sa femme et ses trois petites
filles à la merci des S.S. Il décida de rester. Pourtant,
lorsque le lendemain il vit s'arrêter devant le perron
du château une voiture de la Gestapo, l'instinct fut le
plus fort. Il s'enfonça comme une ombre dans ces
forêts qu'il pratiquait depuis son enfance et où les
chiens perdirent sa trace. Quelques heures plus tard,

le sens de ses responsabilités a repris le dessus, et il téléphone d'un rendez-vous de chasse pour qu'on vienne l'arrêter.

Il est incarcéré à Königsberg, puis transféré à Berlin. Mais la volonté de vivre l'emporte encore une fois. Au cours d'un déplacement, il réussit l'exploit de sauter de la voiture cellulaire et de disparaître à nouveau. Il marche quatre jours et quatre nuits dans les forêts du Mecklembourg, les pieds en sang, parce que les lacets de ses souliers lui ont été confisqués. Épuisé, il finit par demander asile à un garde forestier... qui le livre à la police.

Sa femme, Gottliebe von Lehndorff, a été arrêtée et séparée de ses trois filles, Marie-Éléonore, Véra et Gabrielle, âgées de sept, cinq et trois ans. Pendant cinq mois, elle ignorera tout de leur sort. Quelques jours plus tard, elle met au monde un quatrième enfant. En fait, tous les enfants des conjurés ont été enlevés et groupés sous des faux noms dans un village de Thuringe.

Du fond de sa geôle de condamné à mort, Heinrich von Lehndorff put faire parvenir une dernière lettre à Gottliebe. Il lui demande pardon d'avoir mis en péril sa vie et celle des petites filles par ses deux évasions. Il avoue qu'il a eu la faiblesse de s'ouvrir les poignets pour tenter d'échapper à une mort atroce. Il bénit la petite Katharina qu'il ne verra jamais. Le 4 septembre 1944, il est avec d'autres suspendu à l'aide d'une corde à piano à des crochets de boucherie sous l'œil d'une caméra qui filme l'interminable agonie des suppliciés pour l'agrément des soirées du Führer. Il avait trente-cinq ans.

Il faut imaginer ensuite l'apocalypse qui balaya à

partir de janvier 1945 toute la Prusse-Orientale, première province allemande envahie par l'Armée rouge, la fuite hagarde de toute une population au plus noir de l'hiver, les villes rasées, la terre brûlée, sans que cessent de pleuvoir les ordres et les condamnations du dictateur fou de fanatisme.

L'épilogue de cette histoire est à son image. Au commencement il y avait eu le paradis de l'admirable Steinort. Puis étaient venus le purgatoire de la guerre, l'enfer du 20 juillet 1944 et cet autre enfer que fut l'effrondrement de toute l'Allemagne. Et de tous ces décombres, on vit alors surgir, grandir, grandir encore cette fille stupéfiante, l'ancienne petite Véra qui avait cinq ans et un visage d'ange lorsque son père avait été pendu, et qui devenait peu à peu Veruschka dont les plus grands magazines du monde se disputent le corps de liane géante, le visage énigmatique d'androgyne chauve, l'érotisme savamment sophistiqué...

Sans doute fallait-il toute cette splendeur perdue, ce courage, cette générosité, ces ruines, ce sang, ces larmes pour que s'épanouisse enfin cette fleur tropicale et vénéneuse que Baudelaire aurait passionnément aimée.

Le dernier spectateur d'Avignon

Les tréteaux étaient démontés. Avignon avait lavé son maquillage et remisé ses costumes. La place de l'Horloge ne grouillait plus de saltimbanques, géants-échassiers, cracheurs de feu et autres hommes-orchestres. Les hippies ne dormaient plus dans les ruisseaux. Ils s'étaient relevés, rasés, astiqués, coiffés et, revêtus de chemisettes et de shorts blancs, ils jouaient maintenant au tennis avec leurs parents sur les courts de Deauville et de Biarritz. Les Avignon-nais reprenaient possession de leur ville.

Mes pas m'avaient mené sur la promenade du rocher des Doms. Je m'étais attardé devant la vue splendide que l'on a au nord sur le pont Bénézet, le Rhône, l'île de la Barthelasse constellée de tentes orange et vertes, et, plus loin, Villeneuve-lès-Avignon, la tour de Philippe le Bel et le fort Saint-André. J'avais salué au passage la statue du Persan Althen qui, nous dit-on, introduisit en 1760 dans le Comtat la culture de la garance qui servit longtemps à teindre en rouge le pantalon de nos tourlourous.

Puis, me tournant vers l'est, je voulus scruter l'horizon où l'on aperçoit par temps clair les hauteurs du Lubéron.

La femme était là, seule, superbement endimanchée, coiffée, laquée, fardée, et elle parlait à grands cris et à grands gestes. A qui s'adressait son ardente déclamation ? A la cascade des toits avignonnais couverts de tuiles romaines ? A l'horizon noyé dans une brume de chaleur ? Aux martinets qui sillonnaient le ciel en piaillant ?

— Ohé ! Mami ! criait-elle.

Suivait une harangue véhémente dans une langue qui pouvait être de l'espagnol ou du portugais. Je ne comprenais pas, mais ses intonations n'étaient pas tristes. Il y avait de la gaieté dans son discours, une gaieté peut-être un peu forcée, des encouragements, des promesses, de la tendresse. Quant au destinataire de ce message passionné, je finis par le découvrir à force de fouiller l'espace où il se déployait. En contrebas du rocher, j'ai vu une cour pleine de gravats et, au-delà, un bâtiment dont la sévérité, les hautes fenêtres grillées, l'aspect aveugle et rébarbatif disaient clairement la fonction : maison d'arrêt, pénitencier, prison...

Or cette façade n'était morte qu'en apparence. Dans l'ombre, la vie guettait la vie. Et à travers les barreaux une main est sortie, un avant-bras maigre et noir, tandis qu'on devinait à l'intérieur la pâleur d'un visage, la blancheur d'un maillot de corps. Une main qui a fait un geste lent, d'adieu ou d'au revoir, un geste d'espoir ou de gratitude.

J'ai compris que la dernière tragédienne d'Avignon ne jouait que pour un seul spectateur, et qu'elle n'était en vérité si tapageusement habillée, si outrageusement fardée, si indiscrètement expansive que par devoir, par fidélité, parce que bonne épouse, compagne indéfectible d'un homme retenu à une cinquantaine de mètres.

Alors je suis parti afin de ne pas entendre — même à travers le voile d'une langue étrangère — les promesses qu'elle lançait au prisonnier pour son retour, pour le jour — ou la nuit — de leurs retrouvailles.

Alex Webb

Lucien Clergue

Le fantôme d'Arles

En Arles, où sont les Alyscamps, la pégoulade déroule chaque an nouveau son cortège de jeunes filles en coiffe et costume, ses tambourinaires avec leur galoubet, ses gardians de Camargue sur leurs petits chevaux blancs. On danse la farandole. Les razeteurs vont cueillir la cocarde entre les cornes des taureaux.

Mais, la nuit, j'entends sous ma fenêtre le martèlement d'une autre galopade, solitaire celle-là.

Élue pour quatre années, la reine d'Arles doit être née dans le « pays », parler le provençal, rester pucelle. Comme elle est très jolie, il arrive qu'elle n'attende pas la fin de son règne pour se marier. Elle cède alors son sceptre à l'une de ses suivantes. Quand l'enfant est né, le parrain lui apporte une assiette contenant une poignée de sel, une allumette, un œuf et un petit pain. Et il lui dit (en provençal) : « Que ton petit soit sage comme le sel, droit comme une allumette, plein comme un œuf et bon comme le pain. »

Mais dans les ruelles sombres, humides et pentues, un rouquin venu du nord court, talonné par la folie.

Sur la place du Forum — appelée autrefois « place des hommes » parce que c'était là que les valets de ferme venaient se faire embaucher —, la statue du grand Frédéric Mistral nous accueille. Il semble sur le point de partir, l'auteur de *Mireille,* avec son manteau sur le bras. « Il ne manque que la valise », disait-il lui-même de cette statue qu'il n'aimait pas trop. Il est vrai qu'il y ressemble furieusement à Buffalo Bill, avec sa barbiche et son chapeau à large bord. Buffalo Bill qu'il rencontra et qui lui offrit son chien. Si vous allez au cimetière de Maillane, vous le retrouverez, ce chien américain, il est sculpté sur le mausolée du poète félibre.

Mais Mistral croisa-t-il dans une des petites rues qui dévalent vers le Rhône le peintre ensanglanté galopant vers une femme ?

Partout en Arles, vous verrez des petits groupes palabrer ardemment à l'ombre des platanes autour du « cochonnet » que cernent de belles boules de métal brillant. Yvan Audouard, expert en la matière, vous l'expliquera mieux que personne : la pétanque reconstitue partout où elle se joue — et même dans la cour d'une usine, d'une prison — l'atmosphère de familiarité chamailleuse et pourtant courtoise d'un village d'autrefois.

Oui, Arles est une petite cité riante et ensoleillée.

Mais j'entends toujours dans l'ombre de ses ruelles sinueuses résonner les lourds brodequins de Vincent Van Gogh inondé de sang, portant l'oreille qu'il vient de se couper avec son rasoir en hommage à une prostituée du bordel de la Roquette.

Hans Silvester

Seigneur Mistral

Les nouveaux venus en Provence ont des faiblesses pour le mistral. Ils trouvent ce vent sec et frais tonique, sportif, sain, jovial. Ils apprécient qu'il chasse les nuages et les miasmes chargés de moustiques, venus des marécages de Camargue, et nettoie le ciel qu'il fait briller de soleil, comme un grand plat de cuivre durement frotté. Le temps de mistral, un mauvais temps ? Allons donc ! Comment le mauvais temps pourrait-il être ensoleillé ? Pour les gens du Nord, qui dit mauvais temps dit nuages et pluie.

Ce n'est pas ainsi que l'entendent les Provençaux. Je me souviens d'une petite scène qui se passait un matin sur la place du Forum à Arles, l'un des lieux les plus intimes et les plus protégés de la ville, où veille la statue paternelle de Frédéric Mistral. La douceur de l'air était adorable. Les premiers rayons du soleil filtraient à travers le jeune feuillage des platanes. J'étais arrivé dans la nuit après avoir quitté un Paris frissonnant dans l'obscurité humide d'un hiver qui ne voulait pas finir.

Je m'épanouis. Je cherchai des yeux un compagnon qui partageât avec moi cette heure bénie des dieux. A ce moment un vieux Provençal, comme on en voit sur les cours disputer des parties de pétanque passionnées, vint se placer à côté de moi. Il leva un regard courroucé vers le ciel, secoua la tête et grogna : « Le mauvais temps continue ! » Et il partit se réfugier dans un café, en maudissant les rigueurs du climat provençal. Le mauvais temps ? Eh oui, car il avait discerné un léger souffle du nord dans les feuilles des platanes, et cette présence, même infime, du mistral avait suffi à le hérisser. Je haussai les épaules.

Aujourd'hui, j'ai dû devenir un peu provençal moi aussi, car je ne hausse plus les épaules. Je sais que le mistral — du latin *magister* qui a donné aussi *maestro* — peut être un mauvais maître, un très cruel tyran. Je l'ai vu soufflant toute une semaine, faire crever de sécheresse les plantes des balcons — crime impardonnable en ce pays de jardins rares et fragiles —, répandre sur les meubles de la maison une fine pellicule de poussière calcaire, redoutable aux asthmatiques. Je l'ai vu saccager des soirées en plein air d'opéra, de théâtre ou de musique. J'ai vu, dans *La Machine infernale* de Cocteau, la malheureuse Jocaste coiffée par sa propre traîne et se débattre inutilement pour en sortir, comme un chat dans un sac. J'ai vu des acteurs jouer Molière en tenant à deux mains leur perruque qui menaçait de s'envoler. J'ai vu les décors de *Tristan et Iseult* tellement secoués que la scène ressemblait plus au pont d'un voilier passant le cap Horn qu'à un décor wagnérien.

Et moi qui ai intitulé l'un de mes livres *Le Vent Paraclet*, en hommage au Saint-Esprit que je supplie de bien vouloir souffler sur ma tête pour l'emplir de son inspiration, je voudrais faire inscrire sur la porte de ma maison d'Arles ces lignes de la Bible qui évoquent Élie attendant sur le mont Horeb le passage de Yahweh :

Il y eut un vent fort et violent qui déchirait la montagne et brisait les rochers. Yahweh n'était pas dans ce vent. Après le vent, il y eut un tremblement de terre. Yahweh n'était pas dans ce tremblement. Et après le séisme, un feu. Yahweh n'était pas dans ce feu. Et après le feu, un murmure doux et léger. Quand Élie entendit ce murmure, il s'enveloppa le visage dans son manteau et, étant sorti, il se tint à l'entrée de la caverne, et voici qu'une voix se fit entendre à lui...

I Rois, xix, 11-13.

Écrit à Arles, un jour de mistral.

Photo famille Monfreid

La belle mort

Aux dernières personnes qui lui demandaient de ses nouvelles, Henry de Monfreid répondait : « Je suis furieux. Je suis en train de mourir, et pourtant je n'ai absolument rien ! » Cette plainte du vieil homme traduisait une idée assez récente, je crois, mais qui paraît s'être imposée partout : pour mourir, il faut avoir « quelque chose ». La mort ne peut être que l'effet d'une atteinte extérieure accidentelle, imprévue, non programmée, fortuite et donc évitable.

C'est que la mort a été expulsée des bons usages de la société. Autrefois l'homme qui allait mourir le savait. Il réunissait sa famille, prononçait des mots profonds, comme dans une fable de La Fontaine ou un tableau de Greuze. Aujourd'hui, on vous emporte dans une clinique où, hérissé de tubes et de seringues, vous végéterez en bocal aussi longtemps qu'il plaira aux hommes en blanc. Jules Romains nous avait pourtant averti dans son *Docteur Knock.* La médecine, dans sa volonté de puissance, a pris possession de notre mort. Et pas seulement de notre mort, mais aussi de notre naissance et de nos amours. Au chevet de l'homme qui naît, de l'homme qui aime, de l'homme qui meurt, un médecin veille. Comme si la naissance, l'amour et la mort — ces trois grandes articulations de la vie — étaient des accidents fâcheux, des maladies qui se soignent. « En somme, docteur, disait Forain, je meurs guéri... »

Mais le mot de Monfreid va plus loin pourtant que celui de Forain. Si on avait répondu au vieux flibustier que, n'ayant rien, il mourait en somme de sa « belle mort », il aurait peut-être protesté qu'une belle mort pour lui aurait dû avoir lieu, non dans son lit parisien, mais à bord d'un boutre de la mer Rouge, sous la sagaie d'un Somali trafiquant de haschisch. Cela revient à dire qu'une mort parfaite doit ressembler à la vie qu'elle couronne comme son ultime achèvement. Il n'en manque pas d'exemples. La tauromachie nous fournit le plus parfait. Ses adversaires n'ont sans doute jamais regardé un « toro ». C'est une bête splendide, une force brute, lâchée dans le cercle de lumière, qui fonce comme la foudre sur tout ce qui bouge. Fauve de grand luxe, il a été sélectionné en fonction d'un critère d'agressivité par des biologistes hautement spécialisés, élevé dans des grasses *ganaderías* de plus de mille hectares, transporté à grands frais jusqu'à la plaza. Sa vie opulente s'épanouit, au terme d'une trajectoire de quatre à six ans, dans ce dernier quart d'heure qui lui donne son sens. Supprimer les corridas, ce serait du même coup supprimer le taureau, ce chef-d'œuvre de l'art et de la vie, aussi sûrement qu'on ferait disparaître le cheval pur-sang en interdisant les courses hippiques.

Pour revenir à l'homme, André Maurois racontait avec admiration la fin d'un prestidigitateur fameux. Il terminait son numéro par ces mots : « Et maintenant, mesdames et messieurs, je vais m'escamoter moi-même. » Puis il s'enveloppait dans sa cape et disparaissait... dans une trappe. Un jour on le trouva inanimé, la nuque brisée par le bord du plancher. Les magazines à sensation s'intéressèrent jadis à un menuisier de village. Il avait consacré des années à son chef-d'œuvre : une guillotine. Mais pas n'importe quelle guillotine, un objet d'art, véritable pièce d'ébénisterie fine. Un soir, après un suprême peaufinage, il engagea sa tête dans la lunette et appuya sur le bouton. Il faudrait réserver une place parmi les causes de suicide à la force de persuasion qui émane d'un instrument de mort du seul fait de sa perfection technique ou artistique. Pas plus qu'on ne peut se retenir de goûter à certains gâteaux ou de faire l'amour avec certains corps, on ne saurait refuser à certains poignards, à certains pistolets, l'acte qu'ils appellent de toute leur admirable forme [1].

La vie a partie liée avec la mort, et la psychanalyse a tort de prétendre opposer *Éros* et *Thanatos* comme deux pulsions diamétralement opposées. Comme si on ne mourait pas d'amour ! Et Tristan ? Et Roméo ? Mais la plus belle mort d'amour fut sans doute celle de Heinrich von Kleist et d'Henriette Vogel. L'auteur du *Prince de Hombourg* ne concevait pas de s'unir à une femme autrement que dans la mort. Il chercha

---

1. L'une des victimes de cette « persuasion instrumentale » fut le bourreau américain John C. Woods qui pendit les condamnés du procès de Nuremberg en 1946. Quatre ans plus tard, il s'électrocutait lui-même en « essayant » une nouvelle chaise électrique. On ne saurait pousser plus loin la conscience professionnelle.

une compagne pour ce grand voyage. Il la trouva. C'était Henriette. Ils arrivèrent le 20 novembre 1811 dans une auberge située au bord du lac de Wannsee, près de Potsdam. Toute la nuit, ils écrivirent à leurs parents et amis. Le matin, ils se firent servir le café au bord de l'eau, dans la brume d'un automne glacé. Puis il se tira une balle dans la bouche après avoir tué son amie d'une balle en plein cœur. On possède d'elle la plus belle lettre d'amour qui fut jamais écrite. C'est une longue litanie où reviennent sans cesse des allusions à son prochain départ avec Kleist. Elle l'appelle : « Mon crépuscule, mon échelle céleste, mon feu follet, mon encens et ma myrrhe, mon ombre à midi, mon agneau pascal tendre et blanc, mon beau navire, ma Porte du Ciel... »

Plus simple et non moins noble fut la fin de la princesse Marthe Bibesco. Je l'ai bien connue quand nous habitions l'île Saint-Louis, moi dans une cellule de trois mètres sur deux, elle dans un admirable appartement à la proue de l'île dont les fenêtres ne voyaient que la Seine et Notre-Dame. Elle avait été belle, riche, célèbre, entourée. Devenue impotente, à demi aveugle, ruinée et délaissée, elle conservait une gaieté, une drôlerie même qui supposaient une force et un courage hors du commun. Son valet de chambre s'appelait Mesmin. En me voyant arriver, elle appelait : « Mesmin, faites-nous du thé ! » Et il me semblait à chaque fois qu'elle commandait à ses propres mains, comme à des petites servantes diligentes mais indépendantes.

Un après-midi, elle dit à la jeune femme qui lui tenait compagnie : « Aujourd'hui, je ne ferai pas la sieste, parce que j'attends une visite. »

— Quelle visite, madame? Je n'ai pris aucun rendez-vous, s'étonna son amie.

— Si, si, j'attends quelqu'un!

Elle prit un livre et s'absorba dans sa lecture. Au bout d'un moment, elle dit :

— On a sonné. Voulez-vous aller ouvrir?

— Je n'ai rien entendu. Vous êtes sûre qu'on a sonné?

— Absolument. C'est ma visite. Allez, je vous prie.

La jeune femme obéit. Bien entendu, elle ne trouva personne sur le palier. Elle revint. Dans son grand fauteuil, son livre ouvert sur ses genoux, Marthe Bibesco était morte.

René Maltête

Le charme et l'éclat

« Le presbytère n'a rien perdu de son charme, ni le jardin de son éclat. » Depuis vingt ans que j'habite un presbytère entouré d'un jardin de curé, j'ai dû entendre citer mille fois la phrase célèbre de Gaston Leroux.

Le charme du presbytère ? L'éclat de son jardin ? Je suis un peu là pour en témoigner ! Car le presbytère, cette grosse maison trapue, austère, aux ouvertures un peu étroites, cache bien des maléfices sous son aspect bonasse. Parfois, en rentrant un peu tard l'hiver, je trouvais l'enfant qui vivait avec moi assis dehors sur les marches du perron.

— Pourquoi tu m'attends dehors ?

— Je suis ressorti.

— Tu as eu peur ?

— Non, mais l'escalier de bois craque.

Il n'avait pas eu peur, certes, mais l'escalier craquait. Moi non plus je n'ai pas peur, même entre minuit et trois heures le 14 novembre, à la Saint-Sidoine. Car cette nuit-là — allez donc savoir pourquoi ! — les trente-sept curés qui habitèrent cette maison près de deux siècles s'y réunissent et, après avoir rugi un bénédicité en latin et en chœur, ils ripaillent bruyamment au rez-de-chaussée. Blotti sous

177

mon édredon au second étage, je n'ai pas peur, non. Mais je préfère les laisser entre eux.

Quant au jardin... Il faut préciser qu'il jouxte le cimetière et se trouve de surcroît d'au moins deux mètres en contrebas. Une année je fus quérir le maire — entrepreneur et maçon de son métier — et lui fis observer que le mur présentait sur plus de vingt mètres un boursouflement à ses bases qui ne pouvait résulter que de la poussée souterraine d'une foule d'échines et d'épaules osseuses. A force, les morts ne finiraient-ils pas par percer? Le maire rit dans sa moustache.

— A mon avis, me dit-il, ça peut tenir une heure comme trente années. Si je peux me permettre, ne faites pas trop la sieste à l'ombre du mur!

L'automne fut pluvieux et l'hiver douceâtre. Un matin, la radio m'apprit qu'un glissement de terrain venait d'engloutir un chalet et tous ses occupants à Val-d'Isère. Je me levai et m'approchai de la fenêtre en me félicitant d'avoir renoncé à mes vacances d'hiver. La vision était macabre et apocalyptique. A l'endroit du gros ventre, il ne restait du mur que le faîte, réduit à une mince bande de plâtre. Par une ouverture béante, un flot de terre noire et gluante envahissait le jardin. Y avait-il des tibias et des crânes? Je crois bien les avoir vus de ma fenêtre. Mais ils avaient disparu quand je fus sur place une heure plus tard. Avais-je eu une hallucination, ou bien était-on venu entre-temps les ramasser? Un rassembleur de squelettes à la face camarde, armé d'une faux...

Je ne trancherai pas. Cela fait partie, avec bien d'autres mystères que je raconterai plus tard, du charme du presbytère et de l'éclat de son jardin.

Jean-Claude Gautrand

L'âme d'un bunker

Du cap de la Hague aux Saintes-Maries-de-la-Mer en passant par le Morbihan, Royan et les Landes, Jean-Claude Gautrand a fait le tour de France des grèves et des falaises. Il chassait le monstre. Non la baleine ni le cachalot, mais le bunker. Que reste-t-il trente-cinq ans après du fameux *mur de l'Atlantique* qui devait s'opposer à un débarquement des Alliés? Son enquête donne à cette question une réponse d'une grandiose et sinistre beauté.

On ne manquera pas de disserter brillamment sur l'esthétique qui inspira l'ingénieur Fritz Todt, auteur des autoroutes du Reich et de la ligne Siegfried. On discernera dans ces images impressionnantes l'influence du *Bauhaus*. On cherchera sur ces masses disloquées la signature de Gropius, de Breuer, de Mies Van der Rohe, ou celle d'Auguste Perret et de Tony Garnier. On évoquera l'église construite par Le Corbusier à Ronchamp, qu'on a appelée Notre-Dame du Blockhaus. Mais cela ne va pas sans cynisme, car c'est oublier qu'une architecture est inséparable de l'intention qui l'anime et que toute construction a

Jean-Claude Gautrand

une âme, religieuse, musicale, royale ou simplement administrative, domestique.

Quelle est donc l'âme de ces mastodontes enlisés dans les sables des grèves, fissurés par le gel, foudroyés par la tempête ? Elle est d'abord militaire. Ces constructions sont des armes, au même titre que les citadelles du Moyen Age. Mais il y a plus. Il s'agissait d'une muraille devant entourer l'Europe nazie, celle des fêtes nocturnes, flamboyantes de torches et de bûchers, celle des camps de concentration.

En vérité Jean-Claude Gautrand ne manque pas d'audace. François Augiéras raconte un souvenir plein de signification. Il avait repéré sur une plage un blockhaus en forme de dôme. On pouvait y pénétrer par le sommet, mais non sans effort. L'intérieur formait une assez belle coupole qu'il avait entrepris de couvrir de fresques. Mais l'air stagnait dans ce caveau, et Augiéras, noyé dans les émanations de sa propre peinture, fut pris de malaise. Il essaya de sortir. En vain. Intoxiqué, il n'avait plus la force de faire le rétablissement nécessaire. Il s'écroula, pensant sa dernière heure venue.

C'est qu'on ne viole pas impunément ces nécropoles où flottent un grand rêve mégalomaniaque et l'âme de milliers de tués, défenseurs et assaillants. Ce monde dont voici les vestiges était un monde de la mort, et cette mort pèse d'un poids double sur les épaules du visiteur d'aujourd'hui. La solitude farouche qui y souffle n'a pas fini d'effrayer l'enfant venu jouer sur la plage, ni d'attirer l'adolescent romantique.

Cahiers du Cinéma

La leçon des ténèbres

Certaines nuits d'hiver, entre la deuxième et la troisième heure, alors que le soleil, séparé de moi par toute l'épaisseur de la terre, ne m'envoie plus à travers l'empire des ombres que des rayons noirs, je rencontre mes morts. Sur l'aire de lucidité aride créée par l'insomnie, ils forment une foule attentive et sans visage, les camarades tombés de mon enfance, les amis perdus de ma jeunesse, ceux d'avant-hier, ceux d'hier déjà.

Quelle est donc la leçon des ténèbres ? Que me veulent-elles, toutes ces silhouettes grises ? Qu'ont-elles à me souffler, ces bouches pleines de silence ? Il m'a fallu du temps pour le comprendre, pour l'accepter. Aujourd'hui, je le sais. Ils viennent me rappeler mon appartenance à leur communauté. Ils viennent me dire que je suis des leurs, et déjà mort en quelque sorte.

J'avais connu jadis une femme qui avait vécu entourée d'enfants, de petits enfants, de toute une cour familiale et affectueuse. Puis le malheur avait frappé autour d'elle avec un acharnement terrible, ayant toujours la suprême cruauté de l'épargner elle-même, mais abattant à ses pieds des petits, des jeunes, tout ce qui était sa raison d'être.

Je craignais de retrouver une épave. C'était tout autre chose, le contraire en un certain sens. Elle souriait à tous, affable, attentionnée, légère, transparente, spirituelle, désincarnée. En vérité elle nous jouait une aimable comédie, mais elle n'était plus là pour personne de ce monde.

J'ai compris en la voyant qu'Ophélie n'a pas été rendue folle et suicide par l'assassinat de son père. Elle s'est simplement enfoncée avec lui dans les eaux lourdes, et seuls émergent encore ses yeux rêveurs et ses lèvres chantantes.

Être jeune, c'est n'avoir perdu personne encore. Mais ensuite nos morts nous entraînent avec eux, et chacun est un rocher jeté dans notre mémoire qui fait monter notre ligne de flottaison. A la fin, nous dérivons à fleur d'eau, à fleur d'existence, n'offrant plus aux vivants que juste ce qu'il faut de regards et de paroles pour leur faire croire que nous sommes de ce monde.

Un jour, une femme

Un jour, j'aurai une femme.

Et ma femme ayant un an, je suivrai, les bras tendus, ses premiers pas lourdauds et mal assurés de château branlant, et je la guiderai pour lui apprendre à approcher sans crainte les fleurs, les bêtes et les hommes. Nous plongerons dans les vagues et je lui apprendrai la mer. Petit phoque rieur et frétillant, elle cherchera refuge dans mes bras comme dans une crique, elle escaladera mon dos comme une île.

Plus tard, ma femme se penchera sur les livres. Et je guérirai heure par heure cette étrange cécité qui l'empêche de voir les choses et les événements à travers les lettres et les mots. Je lui conférerai ce pouvoir magique qui fait surgir d'un tas de papier encré un parc, un manoir, une belle et une bête, des aventures horribles et superbes, des rires et des larmes. Puis je conduirai sa main sur le papier pour lui apprendre à dessiner des pleins et des déliés qui sont comme les muscles et les os des lettres.

Et chaque nuit ma femme dormira au creux de mon corps, parce qu'il y a des heures obscures où la chair

n'endure pas la solitude sans risquer de mourir de chagrin.

Ainsi ma femme sera venue à moi et se sera installée dans ma vie, vivant de ma vie, comme un poisson dans son aquarium, comme une tulipe dans son pot. Et comme ma vie est riche et fertile, ma femme ne cessera de croître en beauté, en esprit et en sagesse. Et ma vie continuera, s'émerveillant de ce fruit qu'elle portera en elle.

Au commencement ma main jeune et musculeuse guidait son épaule tendre et dodue. A la fin ma main sèche et tavelée s'appuiera sur son épaule ferme et ronde.

Nécrologie d'un écrivain

Michel Tournier (1924 - ?)

Né au centre de Paris, il a immédiatement compris qu'il s'agissait de la ville la plus inhospitalière du monde, en particulier à l'égard des jeunes. Aussi habita-t-il toute sa vie le presbytère d'un petit village de la vallée de Chevreuse, quand il ne voyageait pas à travers le monde, avec une prédilection pour l'Allemagne et le Maghreb. Ses cendres sont déposées dans son jardin à l'intérieur d'un tombeau sculpté représentant un gisant au visage masqué par un livre ouvert, porté par six écoliers, qui évoquent par leurs chagrins divers une version enfantine des *Bourgeois de Calais* de Rodin.

Après de longues études de philosophie, il est venu assez tard au roman qu'il a toujours conçu comme une affabulation d'apparence aussi conventionnelle que possible, recouvrant une infrastructure métaphysique invisible, mais douée d'un rayonnement actif. C'est en ce sens qu'on a souvent prononcé le mot de *mythologie* à propos de son œuvre.

S'il lui fallait un ancêtre et une étiquette, on pourrait songer à J. K. Huysmans et à celle de *naturaliste mystique*. C'est qu'à ses yeux tout est beau, même la laideur; tout est sacré, même la boue.

A propos de l'amour, il disait : « Il y a un signe infaillible auquel on reconnaît qu'on aime quelqu'un

François-Xavier Bouchart

d'amour, c'est quand son visage vous inspire plus de désir physique qu'aucune autre partie de son corps. »

S'il avait eu une tombe, voici l'épitaphe qu'il aurait voulu qu'on y inscrivît :

« Je t'ai adorée, tu me l'as rendu au centuple. Merci, la vie ! »

De cet ouvrage
il a été tiré en édition de luxe
50 exemplaires imprimés sur Vergé d'Arches,
numérotés et signés par l'auteur

Achevé d'imprimer sur les presses
de l'imprimerie Publiphotoffset, à Paris
le 25 octobre 1983